하이탑 초등 과학 5학년

정답과 해설

1학기

2학기

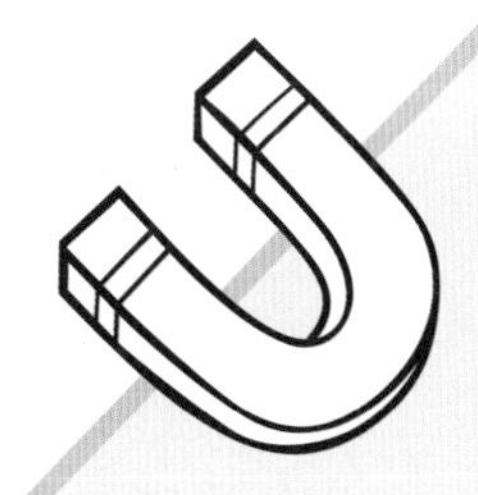

1 과학자는 어떻게 탐구할까요?

1 과학 탐구

탐구 문제 12쪽

1 (1) ㉢ (2) ㉡ 2 종호

1 실험하면서 관찰한 내용을 글이나 그림으로 나타냅니다. ㉠ 검은색 사인펜은 보라색, 분홍색, 노란색, 하늘색 순으로 색소가 나타납니다. ㉡ 빨간색 사인펜은 진분홍색, 분홍색, 노란색 순으로 색소가 나타나고, ㉢ 파란색 사인펜은 하늘색, 보라색, 분홍색 순으로 색소가 나타납니다.

2 실험 결과를 있는 그대로 기록하고, 실험 결과가 예상과 다르더라도 고치거나 빼지 않습니다.

(내용 플러스)

실험을 바르게 했는지 확인하기
- 계획한 과정에 따라 실험했는지 확인합니다.
- 다르게 해야 할 조건과 같게 해야 할 조건을 지키며 실험했는지 확인합니다.
- 관찰하거나 측정하려고 했던 내용을 빠짐없이 기록했는지 확인합니다.
- 실험 결과를 있는 그대로 기록했는지 확인합니다.
- 안전 수칙을 지키며 실험했는지 생각합니다.

확인 문제 13쪽

1 자연 현상 2 ㉠, ㉡
3 물의 온도 4 ㉠ 변인 ㉡ 결과
5 ㉠ 표 ㉡ 그래프 6 결론 도출

1 과학 시간에 이루어지는 탐구는 해당 부분에서 배운 지식을 확인하기 위한 좁은 의미의 탐구입니다.

2 ㉠은 탐구하고 싶은 내용이 분명하게 드러나지 않아서 실험을 계획할 수 없습니다. ㉡은 간단한 조사로 답을 알 수 있어서 탐구하기에 좋지 않습니다.

(내용 플러스)

좋은 탐구 문제가 갖추어야 할 조건
- 실험을 통해 무엇을 검증할지 분명하게 드러나야 합니다.
- 스스로 탐구할 수 있는 문제여야 합니다.
- 넓은 범위의 탐구 문제를 축소하여 구체화해야 합니다.
- 간단한 조사를 통해 쉽게 답을 찾을 수 있는 탐구 문제는 선택하지 않습니다.

3 물의 온도에 따른 변화를 알아보는 실험이기 때문에, 물의 온도만 다르게 하고 다른 조건은 모두 같게 해야 합니다.

4 변인 통제에 유의하면서 계획한 과정에 따라 실험합니다. 변인 통제는 실험에서 다르게 해야 할 조건과 같게 해야 할 조건을 확인하고 통제하는 것입니다. 탐구 문제에서 '어떤 조건에 따라' 또는 '무엇이 달라짐에 따라' 실험 결과가 달라지는지를 알아보려는 것인지 탐구 목적을 분명하게 정하면 다르게 해야 할 조건을 쉽게 찾을 수 있습니다.
예를 들어 '사인펜의 색깔에 따라 잉크에 섞여 있는 색소는 같을까?'라는 탐구 문제에서는 '사인펜의 색깔'이 다르게 해야 할 조건이 됩니다.

5 실험 결과를 표나 그래프로 나타낸 다음에는 실험 결과를 통해 알 수 있는 점을 생각하고, 자료 사이의 관계나 규칙을 찾아냅니다. 표를 사용하면 많은 자료를 가로와 세로 칸에 체계적으로 정리할 수 있습니다. 그래프를 이용하면 자료를 점과 선 또는 넓이 등으로 나타내어 자료의 분포와 경향을 쉽게 알 수 있습니다.

〈표〉

연도(년)	인구수(명)
1975	40억
1985	48억
1995	57억
2005	65억
2015	73억

▲ 세계의 인구수

〈그래프〉

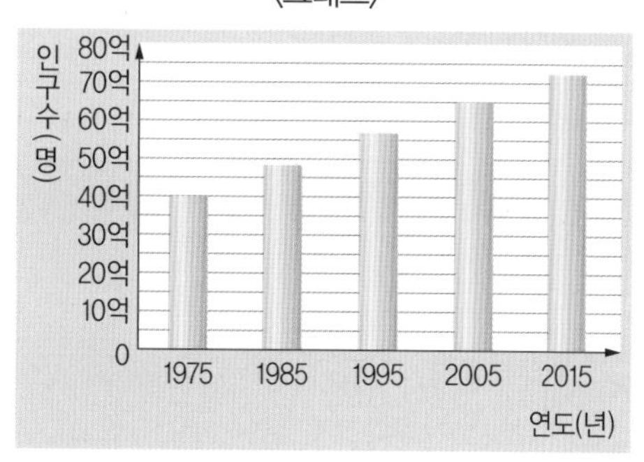

▲ 세계의 인구수

(내용 플러스)
자료 변환의 또 다른 형태
• 그림: 사물의 모양이나 상태를 색깔로 표현한 것입니다.

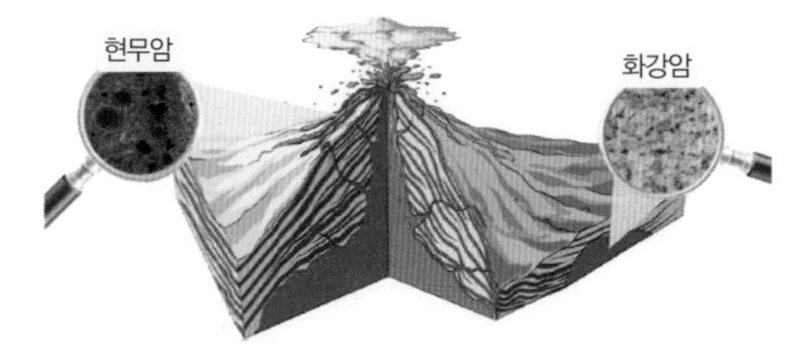

▲ 현무암과 화강암이 만들어지는 장소

• 흐름도: 변화 과정, 작업의 처리 순서나 흐름을 도형과 기호로 표현한 것입니다.

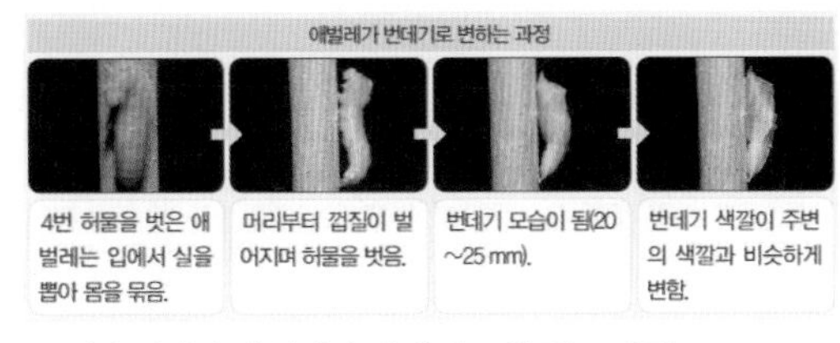

▲ 사슴벌레의 애벌레가 번데기로 변하는 과정

6 결론 도출은 실험 결과에서 결론을 이끌어 내는 과정입니다. 결론을 도출할 때에는 간단하고 명확하게 나타내야 하고, 수집한 실험 결과를 바탕으로 도출해야 합니다. 이 과정에서 예측과 추측을 피해야 합니다.

단원 평가 14쪽

1 ㉠ **2** ⑤ **3** (1) ㉢ (2) ㉠, ㉡, ㉣
4 (2) ○ **5** ㉠ 사인펜의 색깔 ㉡ 하늘색
6 (2) ○

1 탐구 문제는 스스로 탐구할 수 있는 문제여야 하고, 탐구 범위는 좁고 구체적이어야 합니다.

2 ① 간단한 조사로 답을 알 수 있어서 탐구하기에 좋지 않습니다. ② 탐구하고 싶은 내용이 분명하게 드러나지 않아서 실험을 계획할 수 없습니다. ③ 탐구 문제는 '왜 그럴까?', '이것이 무엇일까?', '~하면 어떻게 될까?'와 같은 방법으로 정할 수 있습니다. ④ 탐구 범위가 너무 넓어서 탐구를 모두 실행하기 어렵습니다.

3 사탕의 크기에 따라 다른 점을 알기 위한 실험이기 때문에 사탕의 크기만 다르게 하고 다른 조건(물의 양, 물의 온도, 사탕의 크기 등)은 같게 해야 합니다.

4 사탕의 지름이 클수록 사탕이 물에 다 녹을 때까지 걸린 시간이 길어집니다. 이를 통해 사탕의 크기가 클수록 물에 다 녹을 때까지 걸린 시간이 길다는 것을 알 수 있습니다.

5 ㉠에는 실험에서 다르게 한 조건, 즉 사인펜의 색깔이 들어갑니다. ㉡에는 검은색 사인펜에서는 나타나지만 빨간색 사인펜에서는 나타나지 않는 색소인 하늘색이 들어갑니다.

(내용 플러스)
실험 결과를 표나 그래프의 형태로 바꾸어 나타내는 것을 자료 변환이라고 합니다.
〈실험 결과를 표로 나타내는 방법〉
• 다르게 한 조건과 실험 결과가 드러나도록 제목을 정합니다.
• 표의 첫 번째 가로줄과 세로줄에 나타낼 항목을 정합니다.
• 항목 수를 생각해 가로줄과 세로줄의 개수를 정하고, 표로 그립니다.
• 표의 각 칸에 결괏값을 알맞게 기록합니다.

6 실험 결과와 자료 해석을 종합하여 결론을 내립니다. 결론은 탐구 문제에 대한 답입니다. 결론 도출은 실험 결과에서 결론을 이끌어 내는 과정입니다.

서술형 문제 15쪽

1 ㉠, ㉡, 예 ㉠은 스스로 탐구할 수 있는 문제가 아니기 때문입니다. ㉡은 탐구 범위가 너무 넓어 탐구를 모두 실행하기 어렵기 때문입니다. **2** 예 사인펜으로 찍은 점이 물에 잠기지 않게 하며, 거름종이의 끝이 물에 잠기도록 페트리 접시에 물을 붓습니다. 15분 동안 변화를 관찰합니다. **3** 예 표를 사용하면 많은 자료를 가로와 세로 칸에 체계적으로 정리할 수 있습니다. 그래프를 이용하면 자료를 점과 선 또는 넓이 등으로 나타내어 자료의 분포와 경향을 쉽게 알 수 있습니다.
4 예 주스는 담는 그릇에 따라 모양은 변하지만, 부피는 변하지 않습니다.

1 탐구 문제는 스스로 탐구할 수 있는 문제여야 하고, 탐구 범위가 좁고 구체적이어야 합니다.

채점 기준

상	㉠, ㉡을 고르고, 그 까닭을 모두 옳게 쓴 경우
중	㉠, ㉡을 고르고, 그 까닭을 한 가지만 옳게 쓴 경우
하	㉠, ㉡을 고르기만 한 경우

2 글과 그림으로 나타낸 내용을 보고, 필요한 실험 과정을 정리합니다.

채점 기준

상	실험 과정을 옳게 쓴 경우
중	거름종이의 끝이 물에 잠기도록 물을 붓는다고만 쓴 경우
하	물을 붓는다고만 쓴 경우

3 실험 결과를 표나 그래프의 형태로 바꾸어 나타낼 수 있습니다.

채점 기준

상	표와 그래프의 특징을 모두 옳게 쓴 경우
중	표와 그래프의 특징 중 한 가지만 옳게 쓴 경우

(내용 플러스)

그래프의 종류

- 넓이로 표시하는 그래프: 막대그래프, 띠그래프, 원그래프 등이 있습니다.
- 점과 선으로 표시하는 그래프: 꺾은선그래프가 있습니다.

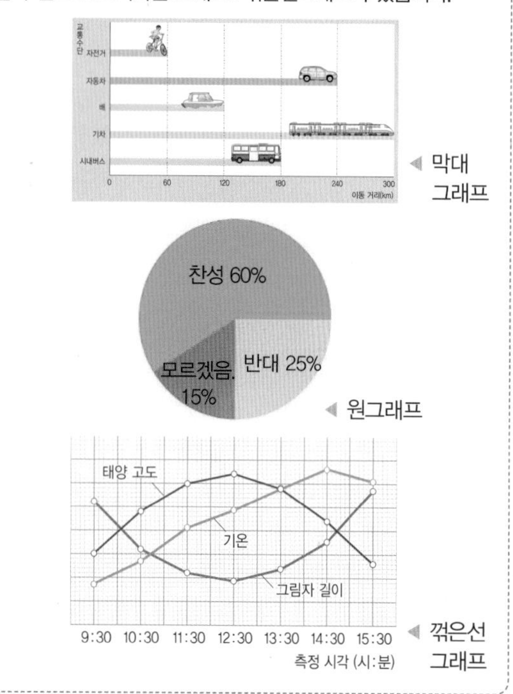

◀ 막대 그래프

◀ 원그래프

◀ 꺾은선 그래프

4 실험 결과를 통해 탐구 문제의 답을 얻고 실험 결과를 종합하여 결론을 내립니다. 결론 도출 후 새로운 실험을 계획하는 경우도 있습니다. 새로운 실험을 계획하는 것은 탐구 과정에서 반드시 수행해야 하는 것은 아닙니다. 탐구를 하여 얻은 결론을 뒷받침하거나 검증할 수 있는 실험을 다시 하는 경우에는 지난 탐구 과정이나 결과에서 생겨난 궁금증을 가지고 다시 새로운 탐구를 시작할 수 있습니다. 이렇게 결론 도출 과정에서 이후 진행할 새로운 탐구 활동의 문제 인식이 시작될 수 있습니다.

채점 기준

상	결론을 옳게 쓴 경우
중	모양의 변화 또는 부피의 변화 중 한 가지만 옳게 쓴 경우

2 온도와 열

1 온도와 열의 이동

20쪽

1 비커에 담긴 물 **2** (1) ○

1 음료수 캔에 담긴 차가운 물은 온도가 높아지고 비커에 담긴 따뜻한 물은 온도가 낮아집니다.

2 온도가 다른 두 물질이 접촉한 채로 시간이 지나면 두 물질의 온도는 같아집니다. 즉, 결국 음료수 캔에 담긴 물과 비커에 담긴 물의 온도가 같아집니다.

21쪽

1 온도 **2** ㉠, ㉣ **3** 25.0 **4** 인영
5 ㉠ 낮아지고 ㉡ 높아진다 **6** ②

1 온도를 사용하면 물질의 차갑거나 따뜻한 정도를 정확하게 나타낼 수 있습니다.

(내용 플러스)

체감 온도

체감 온도란 실외에 있는 사람이 바람과 차가운 기운에 노출되어 피부로부터 열을 빼앗길 때 느끼는 추운 정도를 수치로 나타낸 것입니다. 체감 온도는 기온뿐만 아니라 바람이나 습도 등에 따라 달라지는데, 바람이 세게 불수록 피부에서 열을 더 많이 빼앗겨 체감 온도가 더 낮아집니다.

2 ㉠은 적외선 온도계, ㉡은 계산기, ㉢은 체중계, ㉣은 귀 체온계입니다. 온도를 측정할 때 사용할 수 있는 온도계는 ㉠, ㉣입니다. 계산기는 여러 가지 계산을 빠르고 정확하게 하기 위하여 사용하는 것이고, 체중계는 몸무게를 재는 데 쓰는 저울입니다.

3 알코올 온도계에서는 빨간색 액체가 멈춘 곳의 눈금을 읽어 온도를 알 수 있습니다. 알코올 온도계의 눈금은 보통 10℃ 간격으로 큰 눈금이 있고, 작은 눈금은 1℃ 간격으로 매겨져 있습니다. 만약 온도계 속 빨간색 액체 기둥의 끝부분이 눈금과 눈금 사이에 멈추는 경우에는 온도를 어림해서 읽어야 합니다.

4 같은 물질이어도 물질이 놓인 장소, 측정 시각, 햇빛의 양 등에 따라 온도가 다를 수 있습니다. 따라서 온도는 물질의 특성이 될 수 없습니다.

5 온도가 다른 두 물질이 접촉하면 따뜻한 물질의 온도는 점점 낮아지고 차가운 물질의 온도는 점점 높아져서, 두 물질이 접촉한 채로 시간이 지나면 두 물질의 온도는 같아집니다.

내용 플러스

갓 삶은 뜨거운 달걀을 차가운 물에 넣었을 때의 온도 변화를 열화상 사진으로 보면 시간이 흐른 후 달걀과 물의 온도가 같아지는 것을 확인할 수 있습니다. 열화상 사진은 물체에서 나오는 열을 이용하여 온도를 색깔로 나타내어서 물체의 온도를 한눈에 볼 수 있게 한 사진입니다.

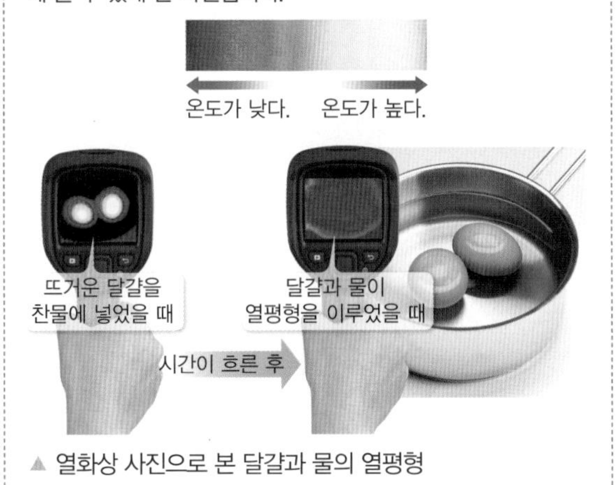

▲ 열화상 사진으로 본 달걀과 물의 열평형

6 접촉한 두 물질의 온도가 변하는 까닭은 열의 이동 때문입니다. 접촉한 두 물질 사이에서 열은 온도가 높은 물질에서 온도가 낮은 물질로 이동합니다.

2 고체, 액체, 기체에서 열의 이동

탐구 문제 24쪽

1 (1) (2)

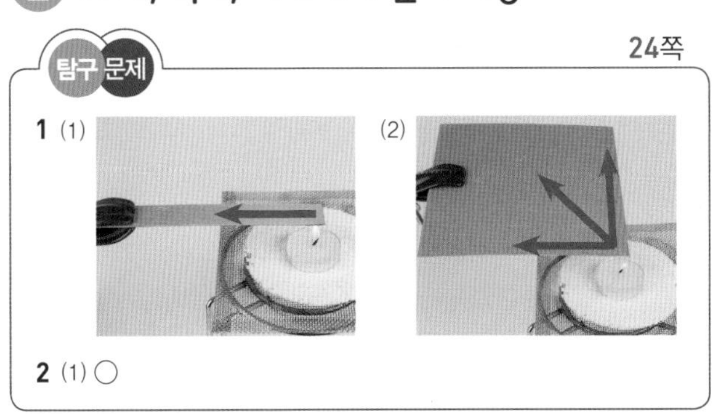

2 (1) ○

1 열이 구리판을 따라 가열한 부분에서 멀어지는 방향으로 이동하여 열 붙임딱지의 색깔이 변하는 방향은 열의 이동 방향과 같습니다.

2 고체 물질의 한 부분을 가열하면 그 부분의 온도가 높아집니다. 이때 온도가 높아진 부분에서 주변의 온도가 낮은 부분으로 열이 이동합니다. 또 고체 물질이 끊겨 있으면 열은 그 방향으로 이동하지 않습니다.

확인 문제 25쪽

1 ㉣ 2 구리, 철, 유리 3 단열
4 (1) ○ 5 찬해 6 (1) 전 (2) 대 (3) 대

1 고체에서 열은 온도가 높은 곳에서 온도가 낮은 곳으로 고체 물질을 따라 이동합니다.

2 열 변색 붙임딱지의 색깔이 변하는 순서를 보고 열이 이동하는 빠르기를 알 수 있습니다. 열 변색 붙임딱지의 색깔이 가장 많이 변한 구리판에서 열의 이동 빠르기가 가장 빠르고, 열 변색 붙임딱지의 색깔이 가장 조금 변한 유리판에서 열의 이동 빠르기가 가장 느립니다.

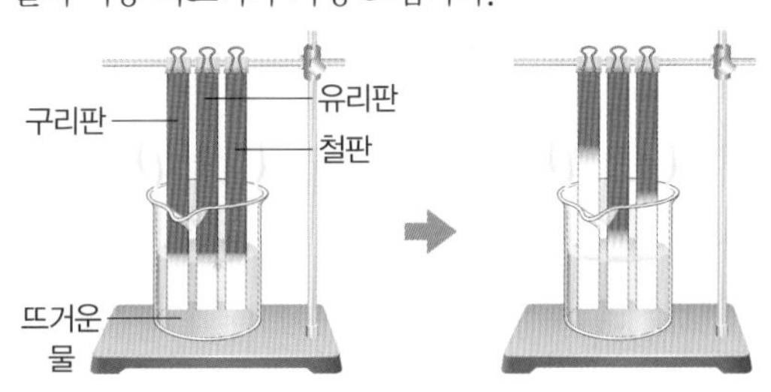

3 따뜻한 물이나 차가운 물의 온도를 유지하려고 보온병을 사용하는 것도 단열을 이용하는 것입니다.

내용 플러스

단열재를 사용한 집짓기

집의 외벽은 주로 시멘트나 돌로 만듭니다. 그런데 집 안과 밖의 온도 차이가 크면 시간이 지나면서 집 안의 열이 밖으로 빠져나갑니다. 벽을 이중으로 만들고 벽 사이에 두꺼운 단열재를 넣으면 이러한 열의 이동을 줄일 수 있습니다.

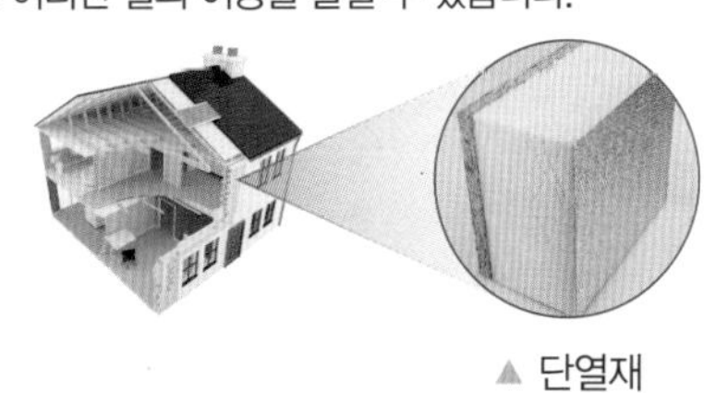

▲ 단열재

4 물이 담긴 주전자를 가열하면 주전자 바닥에 있는 물의 온도가 높아집니다. 온도가 높아진 물은 위로 올라가고 위에 있던 물은 아래로 밀려 내려옵니다.

5 알코올램프에 불을 붙이지 않았을 때 삼발이의 위쪽에 비눗방울을 불어 보면 비눗방울이 아래로 떨어지지만, 알코올램프에 불을 붙였을 때 삼발이의 위쪽에 비눗방울을 불어 보면 비눗방울이 알코올램프 주변에서 위로 올라갑니다. 이는 불을 붙인 알코올램프 주변의 뜨거워진 공기가 위로 올라갔기 때문입니다.

▲ 알코올램프에 불을 붙이지 않았을 때

▲ 알코올램프에 불을 붙였을 때

(내용 플러스)

고체에서만 전도가 일어날까?

액체와 기체 상태의 물질에서도 고체처럼 전도를 통해 열이 이동하지만, 입자 사이의 거리가 멀기 때문에 충돌할 기회가 적어 열의 이동 속도가 매우 느립니다. 따라서 물과 공기는 좋은 단열재가 됩니다.

6 고체에서 열이 이동하는 것을 전도, 액체와 기체에서 열이 이동하는 것을 대류라고 합니다. (1)은 고체에서 열이 이동하는 경우로 전도입니다. (2)는 기체에서 열이 이동하는 경우로 대류이고, (3)은 액체에서 열이 이동하는 경우로 대류입니다.

단원 평가

26쪽

1 ㉮ 물질의 차갑거나 따뜻한 정도를 측정하여 수치로 나타낸 것입니다. **2** 라미 **3** (1) 28.0℃ (2) 섭씨 이십팔 점 영 도 **4** ㉡, ㉠, ㉣, ㉢ **5** ⑤
6 (1) ㉠ (2) ㉡ (3) ㉢ **7** ㉠ 고리 ㉡ 1.5m
8 ㉡ **9** ④, ⑤ **10** ㉮ 갓 삶은 달걀을 차가운 물에 담가 두면 달걀과 물의 온도가 같아집니다. 온도가 다른 두 물질이 접촉했을 때 열은 온도가 높은 물질에서 온도가 낮은 물질로 이동합니다. **11** (1) ○ **12** ㉮ 쟁반 끝 부분이 뜨거워집니다. 고구마에서 쟁반으로 열이 이동하고, 고구마에 가까운 쪽의 쟁반에서 먼 쪽의 쟁반으로 열이 이동하기 때문입니다. **13** (3) ○ **14** ㉠ 구리 ㉡ 철 ㉢ 유리
15 ㉮ 두 물질 사이에서 열의 이동을 줄이는 것입니다. 집을 지을 때 집의 벽, 바닥, 지붕 등에 단열재를 사용하여 겨울이나 여름에 적절한 실내 온도를 오랫동안 유지하게 합니다.
16 (1) ○ **17** 민지 **18** 위 **19** ②, ④
20 ㉠ 열 ㉡ 대류

1 물질의 차갑거나 따뜻한 정도는 온도로 나타냅니다. 온도를 사용하면 물질의 차갑거나 따뜻한 정도를 정확하게 나타낼 수 있습니다.

채점 TIP 물질의 차갑거나 따뜻한 정도라는 의미로 쓰면 정답으로 합니다.

2 차갑거나 따뜻한 정도를 말로만 표현하면 어떤 물질이 더 따뜻한지 정확하게 비교하기가 어렵습니다. 하지만 온도를 사용하면 물질의 차갑거나 따뜻한 정도를 정확하게 나타낼 수 있습니다. 우리 생활에서 정확한 온도를 측정해야 하는 경우는 다양합니다. 비닐 온실에서 배추를 재배할 때는 배추가 잘 자라는 온도인 20℃를 유지해야 하고, 새우튀김 요리를 할 때는 적당한 기름 온도인 180℃를 유지해야 합니다.

▲ 배추를 키우는 비닐 온실

▲ 새우튀김 요리

3 온도는 숫자에 단위 ℃(섭씨도)를 붙여 나타냅니다. 온도계의 눈금을 읽을 때는 액체 기둥의 끝이 닿은 위치에 눈높이를 맞춥니다.

4 귀 체온계는 체온을 측정할 때 사용합니다. 체온계의 끝을 귀에 넣고 측정 버튼을 누르면 온도 측정이 됐음을 알리는 소리가 납니다. 이때 귀에서 체온계를 빼고 온도 표시 창에 나타난 체온을 확인합니다.

5 알코올 온도계는 주로 액체나 기체의 온도를 측정할 때 사용합니다. ② 알코올 온도계 속에 넣는 액체로는 보통 알코올을 사용하지만, 최근에는 색소를 섞은 기름을 사용하기도 합니다. ⑤ 주변보다 따뜻한 물에 알코올 온도계를 넣으면 액체샘에 있는 빨간색 액체가 관을 따라 위로 올라갑니다.

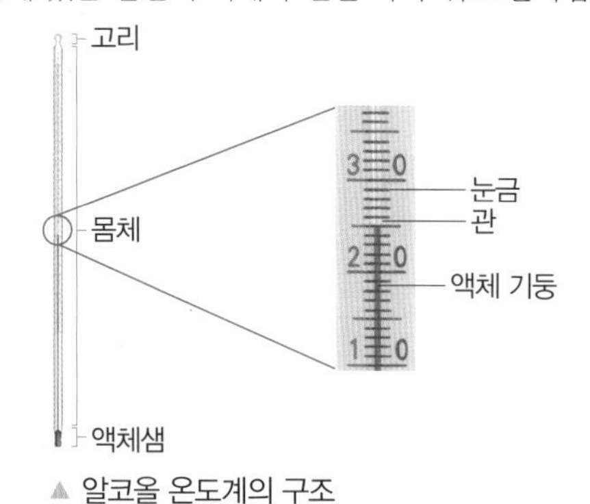

▲ 알코올 온도계의 구조

6 ㉠ 귀 체온계는 체온을 측정할 때 사람의 귀에 체온계를 넣어 사용합니다. ㉡ 적외선 온도계는 주로 고체 물질의 온도를 측정할 때 사용합니다. ㉢ 알코올 온도계는 주로 액체나 기체의 온도를 측정할 때 사용합니다.

(내용 플러스)

적외선 온도계로 온도 측정하기

적외선 온도계로 측정하려는 물질의 표면을 겨누고 측정 버튼을 누르면 온도 표시 창에 온도가 나타납니다. 적외선 온도계에서 나온 빨간 점은 측정하려는 곳에 있어야 합니다. 적외선 온도계는 칠판, 책상, 컵 등과 같은 고체 물질의 표면 온도를 측정하는 데 편리하지만, 알코올 온도계는 칠판, 책상, 컵 등의 온도를 측정하는 것이 어렵습니다.

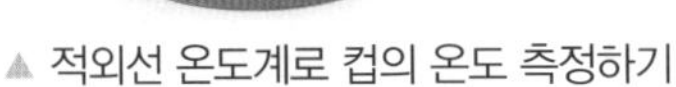

▲ 적외선 온도계로 컵의 온도 측정하기

7 교실의 기온, 운동장의 기온 등 기온을 측정할 때는 알코올 온도계의 고리에 실을 매달고 땅으로부터 1.5m 정도의 높이에서 측정합니다.

▲ 교실의 기온 측정

▲ 운동장의 기온 측정

8 물질의 온도는 물질이 놓인 장소, 측정 시각, 햇빛의 양 등에 따라 다릅니다. 실험 결과에서 교실의 기온과 운동장의 기온이 다르고, 나무 그늘의 흙의 온도와 햇빛이 내리쬐는 흙의 온도가 다른 것을 통해 같은 물질이라도 온도가 다를 수 있다는 사실을 알 수 있습니다.

9 접촉한 두 물질 사이에서 열은 온도가 높은 물질에서 온도가 낮은 물질로 이동합니다. ④ 따뜻한 손난로와 손 사이에서는 손난로의 열이 손으로 이동하여 손의 온도가 높아집니다. ⑤ 뜨거운 프라이팬과 고기 사이에서는 프라이팬의 열이 고기로 이동하여 고기의 온도가 높아지며 익게 됩니다. ① 얼음과 생선 사이에서는 생선의 열이 얼음으로 이동하여 생선의 온도가 낮아지고, ②와 ③도 주스, 수박의 온도가 낮아집니다.

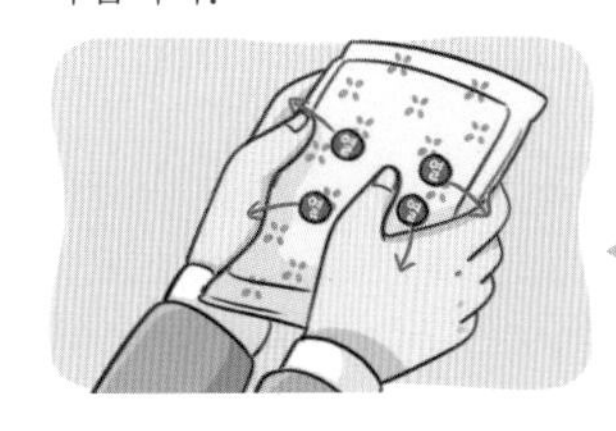

◀ 손으로 따뜻한 손난로를 잡으면 열이 손난로에서 손으로 이동한다.

10 접촉한 두 물질의 온도가 변하는 까닭은 열의 이동 때문입니다. 접촉한 두 물질 사이에서 열은 온도가 높은 물질에서 온도가 낮은 물질로 이동합니다.

채점 TIP 열의 이동의 예를 한 가지 적절하게 들고 열의 이동 방향을 설명하여 쓰면 정답으로 합니다.

11 (1) 팬에서 열은 불과 가까운 쪽에서 불에서 먼 쪽으로 이동합니다. 또 팬에서 고기로 열이 이동합니다. 이처럼 고체에서 열은 온도가 높은 곳에서 온도가 낮은 곳으로 고체 물질을 따라 이동합니다. 이러한 열의 이동을 전도라고 합니다. (2)는 액체에서 온도가 높아진 물질이 위로 올라가고, 위에 있던 물질이 아래로 밀려 내려오는 대류 과정입니다.

(내용 플러스)

물을 가열할 때 열의 이동

물이 담긴 주전자의 바닥을 가열하면 주전자의 몸체인 유리 부분의 온도가 높아집니다. 이때 유리를 따라 열이 전도되면서 유리 안쪽의 물도 가열됩니다. 온도가 높아진 물은 위로 올라가는데, 이때 위에 있던 물은 옆으로 밀리거나 위로 올라가는 물과 위치를 바꿉니다. 온도가 높은 물이 수면에 닿으면 아래에서 계속 올라오는 다른 물 때문에 옆으로 밀립니다. 또 물이 이동할 때 주변의 물보다 온도가 낮아지면서 아래로 내려갑니다. 만약 따뜻해진 물이 위에 있을 때 불을 끄면 온도가 높은 물이 온도가 낮은 물보다 위에 있으므로 물은 더 이상 이동하지 않습니다. 즉, 물을 끓이다가 불을 끄면 물이 상승하는 것을 멈춥니다.

12 고체 물질의 한 부분의 온도가 높아지면 온도가 높아진 부분에서 주변의 온도가 낮은 부분으로 열이 이동합니다. 고구마에 직접 닿지 않았던 쟁반 끝부분으로도 열이 이동하여 쟁반 끝부분이 뜨거워집니다.

채점 TIP 온도 변화와 까닭을 열의 이동과 관련하여 옳게 쓰면 정답으로 합니다.

13 고체에서 열이 이동하는 빠르기를 알아보는 실험입니다. 같은 버터를 사용하고, 같은 온도의 뜨거운 물을 같은 양만큼 사용합니다. 각 판에 붙어 있는 버터가 녹는 순서로 고체의 종류에 따라 열이 이동하는 빠르기가 다르다는 것을 알 수 있습니다.

▲ 버터가 빨리 녹는 순서는 구리판 → 철판 → 유리판이다.

14 구리판, 유리판, 철판에서 열이 이동하는 빠르기는 구리판 → 철판 → 유리판 순으로 빠릅니다.

(내용 플러스)

물질에 따른 열전도율

열이 이동하는 빠르기를 열전도율이라고 합니다.

물질	열전도율 (W/(m·K))	물질	열전도율 (W/(m·K))
다이아몬드	900~2300	스테인리스강	12~45
은	429	콘크리트	1.7
구리	400	유리	1.1
금	318	나무	0.04~0.4
알루미늄	237	물	0.6
철	80	공기	0.025

15 따뜻한 물이나 차가운 물의 온도를 유지하려고 보온병을 사용하는 것도 단열을 이용한 예입니다.

◀ 보온병의 구조

채점 TIP 단열의 의미와 예를 모두 옳게 쓰면 정답으로 합니다.

16 고체 물질이 끊겨 있으면 열은 그 방향으로 이동하지 않습니다.

17 냄비의 바닥은 열이 빠르게 이동하는 금속으로 만들고, 냄비의 손잡이는 열이 빠르게 이동하지 않는 나무나 플라스틱으로 만듭니다.

(내용 플러스)

고체 물질의 종류에 따라 열이 이동하는 빠르기가 다른 성질을 이용한 예

- 오븐 쟁반: 금속으로 만들어 열이 빠르게 이동합니다. 오븐 안의 열이 빨리 이동해 음식이 고르게 잘 구워집니다.
- 주방 장갑: 열이 잘 이동하지 않는 솜이 옷감 속에 들어 있어 뜨거운 것을 쉽게 잡을 수 있습니다.
- 컵 싸개: 열이 잘 이동하지 않는 골판지로 되어 있고, 골판지 틈에 공기가 들어 있어 열이 잘 이동하지 않습니다.
- 뚝배기: 도자기로 만드는 뚝배기는 쇠로 만든 냄비처럼 빨리 뜨거워지지 않지만, 일단 뜨거워진 뚝배기는 쉽게 식지 않습니다. 이는 쇠로 만든 냄비보다 열이 천천히 이동하기 때문입니다.

▲ 오븐 쟁반과 주방 장갑

▲ 뚝배기

18 온도가 높아진 물은 위로 올라가고, 위에 있던 물은 아래로 밀려 내려오면서 물 전체가 따뜻해집니다.

19 액체에서 열이 이동하는 것과 기체에서 열이 이동하는 것을 대류라고 합니다. ①은 증발 현상이고, ③과 ⑤는 고체에서 열이 이동하는 전도입니다. 에어컨을 높은 곳에 설치하면 차가운 공기가 아래로 내려와 실내를 골고루 시원하게 합니다.

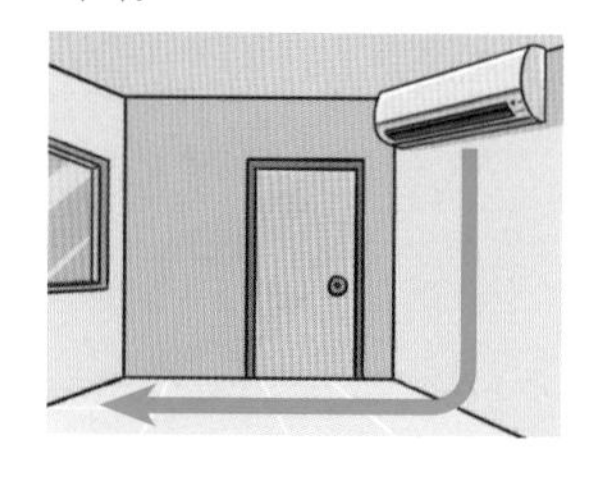
◀ 높은 곳에 있는 에어컨에서 차가운 공기가 아래로 내려오면서 실내 전체가 시원해진다.

20 액체와 기체 모두 가열된 물질이 위로 이동하면서 열이 이동합니다. 액체와 기체에서는 대류를 통해 열이 이동합니다.

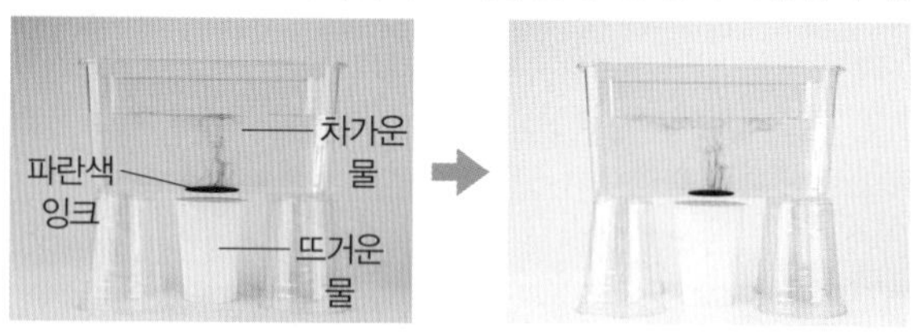

▲ 액체에서 열의 이동: 뜨거워진 물이 위로 올라가며, 파란색 잉크가 위로 올라간다.

서술형 문제 30~31쪽

1 예 비닐 온실에서 배추를 재배할 때, 새우튀김 요리를 할 때 **2** 예 온도가 다른 두 물질이 접촉할 때 온도가 높은 물질은 온도가 낮아지고, 온도가 낮은 물질은 온도가 높아집니다. 두 물질이 접촉한 채로 시간이 지나면 두 물질의 온도는 같아집니다. **3** 예 같은 물질의 온도는 물질이 놓인 장소, 측정 시각, 햇빛의 양에 따라 다릅니다. **4** 예 ㉠의 경우에 열은 뜨거운 프라이팬에서 달걀로 이동합니다. ㉡의 경우에 열은 뜨거운 면에서 물로 이동합니다. **5** 예 뜨거운 수프에서 수프에 닿은 숟가락의 부분으로 열이 이동하고, 뜨거워진 숟가락의 부분에서 손잡이로 열이 이동하기 때문입니다. 뜨거운 팬에 고기를 올리면 고기 전체가 익습니다. **6** 예 구리판, 철판, 유리판의 순서로 열 변색 붙임딱지의 색깔이 빠르게 변합니다. 고체 물질의 종류에 따라 열이 이동하는 빠르기가 다릅니다. **7** 예 온도가 높아진 물이 위로 올라가고, 위에 있던 물이 아래로 밀려 내려오기 때문입니다. **8** ㉡, 예 알코올램프 주변의 뜨거워진 공기가 위로 올라가기 때문입니다.

1 갓난아기의 목욕물 온도가 적절한지 확인할 때, 병원에서 환자의 체온을 잴 때, 분유를 탈 때, 어항 속 물의 온도가 물고기가 살기에 적절한지 확인할 때도 온도를 정확하게 측정해야 합니다.

▲ 어항 속 물의 온도

채점 기준

상	온도를 정확하게 측정해야 하는 경우를 두 가지 모두 옳게 쓴 경우
중	온도를 정확하게 측정해야 하는 경우를 한 가지만 옳게 쓴 경우

2 음료수 캔에 담긴 물의 온도는 점점 높아지고, 비커에 담긴 물의 온도는 점점 낮아집니다. 결국 음료수 캔과 비커에 담긴 물의 온도가 같아집니다.
예를 들어, 500mL 비커에 따뜻한 물을 200mL 정도 넣고, 음료수 캔에는 차가운 물을 150mL 정도 넣었을 때 약 7분 정도 지나면 두 물의 온도는 거의 같아집니다.

채점 기준

상	두 물질의 온도 변화를 옳게 쓴 경우
중	두 물질의 온도 변화를 썼으나 미흡한 경우
하	한 물질의 온도 변화만 옳게 쓴 경우

3 같은 물질이라도 온도가 다를 수 있습니다. 물질의 온도는 물질이 놓인 장소, 측정 시각, 햇빛의 양 등에 따라 다릅니다. 교실의 기온과 운동장의 기온이 다른 것을 통해 물질을 측정하는 장소에 따라 온도가 다른 것을 알 수 있습니다. 나무 그늘의 흙과 햇빛이 내리쬐는 흙의 온도가 다른 것을 통해 햇빛의 양에 따라 온도가 다른 것을 알 수 있습니다. 새벽의 운동장 기온과 정오(낮 12시)의 운동장 기온이 다른 것을 통해 측정 시각에 따라 물질의 온도가 다른 것을 알 수 있습니다.

▲ 나무 그늘의 흙과 햇빛이 비치는 곳의 흙의 온도는 다르다.

채점 기준

상	알 수 있는 사실을 장소, 시각, 햇빛의 양을 포함하여 옳게 쓴 경우
중	알 수 있는 사실을 장소, 시각, 햇빛의 양 중 두 가지만 포함하여 옳게 쓴 경우
하	알 수 있는 사실을 장소, 시각, 햇빛의 양 중 한 가지만 포함하여 옳게 쓴 경우

4 온도가 다른 두 물질이 접촉하면 열은 높은 온도의 물질에서 낮은 온도의 물질로 이동합니다.

채점 기준

상	㉠, ㉡을 모두 옳게 쓴 경우
중	㉠, ㉡ 중 한 가지만 옳게 쓴 경우

5 고체 물질의 한 부분을 가열하면 그 부분의 온도가 높아집니다. 이때 온도가 높아진 부분에서 주변의 온도가 낮은 부분으로 열이 이동합니다. 따라서 시간이 지남에 따라 주변의 온도가 낮았던 부분도 점점 온도가 높아집니다.

채점 기준

상	까닭과 예를 모두 옳게 쓴 경우
중	까닭을 미흡하게 쓰고, 예를 옳게 쓴 경우
하	까닭만 옳게 쓴 경우

6 고체 물질의 종류에 따라 열이 이동하는 빠르기가 다릅니다. 유리나 나무보다 금속에서 열이 더 빠르게 이동합니다. 또 금속의 종류에 따라서도 열이 이동하는 빠르기가 다릅니다.

채점 기준

상	색깔이 변하는 빠르기 순서와 알 수 있는 사실을 모두 옳게 쓴 경우
중	색깔이 변하는 빠르기 순서를 옳게 쓰고, 알 수 있는 사실을 미흡하게 쓴 경우
하	색깔이 변하는 빠르기 순서만 옳게 쓴 경우

7 액체에서 온도가 높아진 물이 위로 올라가고, 위에 있던 물이 아래로 밀려 내려오는 과정을 대류라고 합니다.

채점 기준

상	까닭을 옳게 쓴 경우
중	까닭을 미흡하게 쓴 경우

8 알코올램프에 불을 붙이지 않았을 때 삼발이의 위쪽에 비눗방울을 불어 보면 비눗방울이 아래로 떨어지지만, 알코올램프에 불을 붙였을 때 삼발이의 위쪽에 비눗방울을 불어 보면 비눗방울이 알코올램프 주변에서 위로 올라갑니다. 이것은 불을 붙인 알코올램프 주변의 뜨거워진 공기가 위로 올라가기 때문입니다.

내용 플러스

같은 공간에 있는 기체라도 열이 가해지면 에너지가 커진 입자의 운동이 활발해져서 입자 사이의 거리가 멀어집니다. 이때 따뜻한 공기는 부피가 커지고 밀도는 작아져 주변의 차가운 공기보다 상대적으로 가벼워지므로 위로 올라가고, 위에 있던 공기는 상대적으로 무거워서 아래로 내려오게 됩니다. 이러한 순환이 반복되면서 열은 공간 전체로 이동합니다.

채점 기준

상	㉡을 쓰고, 까닭을 옳게 쓴 경우
중	㉡을 쓰고, 까닭을 썼으나 미흡한 경우
하	㉡만 쓴 경우

3 태양계와 별

1 태양계 구성원과 행성의 크기

탐구 문제 40쪽

1 목성, 토성, 천왕성, 해왕성 2 금성
3 수성, 금성, 지구, 화성

1 행성 크기 비교 모형으로 비교하면 지구보다 크기가 큰 행성을 알 수 있습니다.

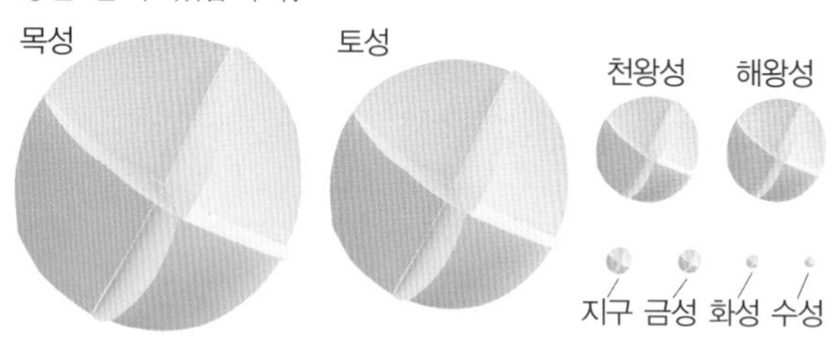

▲ 행성 크기 비교 모형

2 지구와 상대적인 크기가 비슷한 행성은 금성입니다. 수성 – 화성, 해왕성 – 천왕성은 상대적인 크기가 비슷한 행성입니다.

(내용 플러스)

태양계 행성의 실제 크기

행성	반지름(km)	행성	반지름(km)
수성	2440	목성	71492
금성	6052	토성	60268
지구	6378	천왕성	25559
화성	3396	해왕성	24764

• 반지름은 적도의 평균 반지름을 나타낸 것입니다.
* 자료 출처: 한국천문연구원 https://www.kasi.re.kr

3 목성, 토성, 천왕성, 해왕성은 상대적으로 크기가 큰 행성입니다.

확인 문제 41쪽

1 태양 2 식물 3 (3) ○
4 (1) 목 (2) 목 (3) 수 (4) 수 5 토성 6 ㉣

1 태양은 지구에 사는 모든 생물에게 영향을 미칩니다. 식물은 태양 빛이 있어야 양분을 만들어 살아갈 수 있고, 일부 동물은 식물이 만든 양분을 먹고 살아가기도 합니다.

2 식물은 태양 빛이 있어야 양분을 만들 수 있습니다. 일부 동물은 식물이 만든 양분을 먹고 살아갑니다.

3 태양계는 태양과 태양의 영향을 받는 천체들 그리고 그 공간을 모두 포함합니다.

▲ 태양계

4 수성은 전체적으로 어두운 회색으로 달처럼 충돌 구덩이가 있습니다. 목성은 표면이 기체로 되어 있고, 고리가 있습니다.

▲ 수성

▲ 목성

5 토성은 연노란색을 띱니다. 지구, 화성과 같은 땅이 없고 표면이 기체로 되어 있습니다. 커다란 고리가 있고, 여러 개의 위성을 가지고 있으며 태양계에서 두 번째로 큰 행성입니다.

6 지구의 반지름을 1로 보았을 때 목성의 상대적인 반지름이 11.2이므로 지구의 크기가 반지름이 1cm인 구슬과 같다면 목성과 크기가 비슷한 물체는 반지름이 11cm인 축구공입니다.

▲ 지구의 반지름을 1로 보았을 때 태양계 행성의 상대적인 크기 비교

2 행성까지의 거리와 별자리

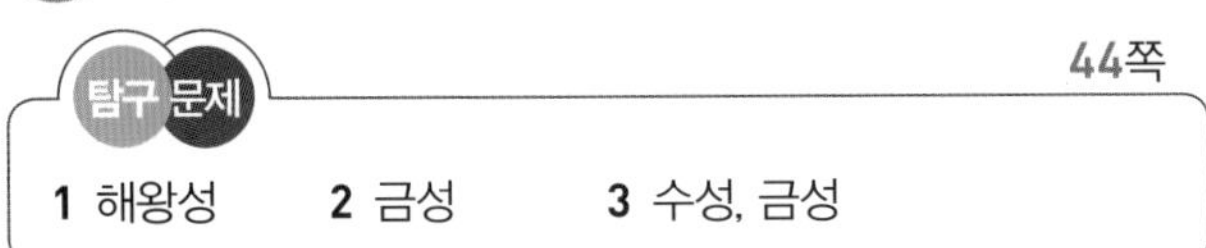
탐구 문제 44쪽

1 해왕성　2 금성　3 수성, 금성

1 태양에서 해왕성까지의 거리를 나타낼 때 필요한 휴지 칸 수는 30칸으로 태양에서 거리가 가장 멉니다.

2 금성과 지구 사이의 거리는 1.0－0.7＝0.3(칸)이고, 지구와 화성 사이의 거리는 1.5－1.0＝0.5(칸)이므로 지구와 거리가 가장 가까운 행성은 금성입니다.

3 수성, 금성은 태양에서 지구보다 가까이 있는 행성이고, 화성, 목성, 토성은 태양에서 지구보다 멀리 있는 행성입니다.

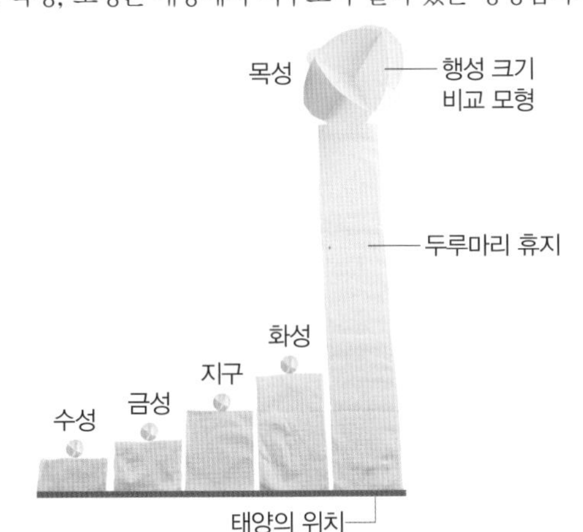

▲ 두루마리 휴지를 이용하여 태양에서 각 행성까지의 상대적인 거리 비교하기

확인 문제 45쪽

1 (1) ○　2 멀어집니다　3 (1) ○
4 별　5 호인　6 ㉢

1 태양에서 수성까지의 상대적인 거리는 0.4로 태양에서 가장 가까운 곳에 있습니다.

2 수성과 금성 사이의 거리는 0.3이고, 천왕성과 해왕성 사이의 거리는 10.9입니다. 태양에서 행성까지의 거리가 멀어질수록 행성 사이의 거리도 점점 멀어집니다.

3 태양에서 행성까지의 거리가 너무 멀어 km로 표현하기 복잡하기 때문입니다. 또 실제 거리로 나타내면 거리를 쉽게 비교하기 어렵기 때문입니다.

4 태양처럼 스스로 빛을 내는 천체를 별이라고 합니다.

5 별자리의 모습과 이름은 지역과 시대에 따라 다릅니다.

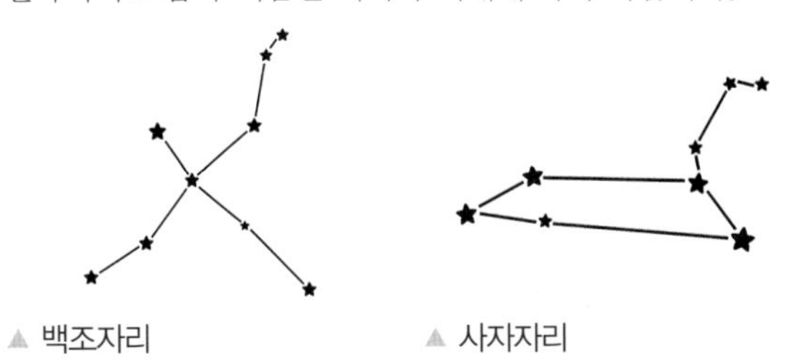
▲ 백조자리　▲ 사자자리

6 카시오페이아자리는 엠(M)자나 더블유(W)자 모양입니다. ㉠은 작은곰자리, ㉡은 북두칠성입니다.

내용 플러스

북쪽 밤하늘의 별자리
- 북쪽 밤하늘의 대표적인 별자리는 북두칠성, 작은곰자리, 카시오페이아자리입니다.
- 북두칠성: 동양 고유의 별자리로, 국제천문연맹에서 지정한 88개의 별자리 중 큰곰자리의 일부분에 속합니다.
- 북두칠성과 카시오페이아자리는 북극성을 찾는 데 도움을 주는 별자리입니다.
- 작은곰자리: 북극성을 포함하는 별자리이며, 모양이 북두칠성을 닮아서 작은국자자리라고도 합니다.
- 기린자리, 용자리, 세페우스자리 등은 북쪽 하늘의 별자리이지만, 관측하기가 어렵습니다.

3 북극성, 행성과 별

탐구 문제 48쪽

1 ㉠, ㉡　2 ㉢

1 북극성을 찾을 때 이용할 수 있는 별자리는 북두칠성, 카시오페이아자리입니다.

2 북쪽 밤하늘에서 볼 수 있는 북두칠성과 카시오페이아자리를 이용해 북극성을 찾을 수 있습니다. 북두칠성의 국자 모양 끝부분의 두 별을 연결하고, 그 거리의 다섯 배만큼 떨어진 곳이나 카시오페이아자리의 바깥쪽 두 선을 연장해 만나는 점과 가운데의 별을 연결하고, 그 거리의 다섯 배만큼 떨어진 곳에서 북극성을 찾을 수 있는데, 그 위치는 ㉢입니다.

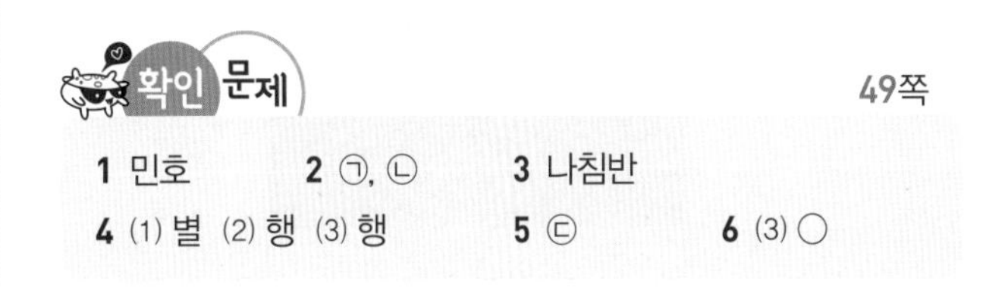
확인 문제 49쪽

1 민호　2 ㉠, ㉡　3 나침반
4 (1) 별 (2) 행 (3) 행　5 ㉢　6 (3) ○

1 북극성은 날짜와 시간에 관계없이 항상 정확한 북쪽에 있기 때문에 중요한 별입니다. 하지만 낮에는 밝아서 보이지 않고 밤에도 가장 밝은 별이 아니어서 바로 찾기가 어렵습니다. 그래서 북극성을 찾기 위해서는 주변에 있는 북두칠성 또는 카시오페이아자리를 이용합니다.

2 북두칠성을 이용해 북극성을 찾을 수 있습니다. 북두칠성의 국자 모양 끝부분에서 ㉠과 ㉡을 찾아 연결해 그 거리의 다섯 배만큼 떨어진 곳에 있는 별을 찾습니다.

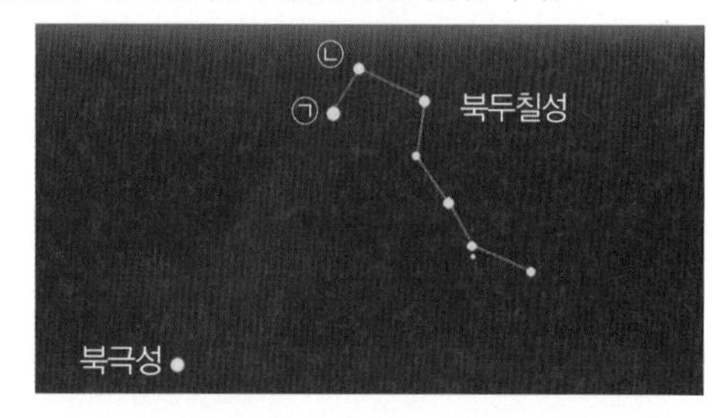

3 북극성은 항상 정확한 북쪽 밤하늘에서 볼 수 있어서 옛날부터 나침반 역할을 해 온 중요한 별입니다.

(내용 플러스)
바다 한가운데에서 항해하는 배는 북극성을 뱃길을 찾아내는 데 많이 이용했습니다. 왜냐하면 북극성을 보면 방위를 알 수 있기 때문입니다.

4 (1) 행성은 태양 빛을 반사하여 빛을 내지만 별은 스스로 빛을 냅니다. (2) 행성은 태양 주위를 돌기 때문에 여러 날 동안 지구에서 보면 위치가 변하지만 별은 행성에 비해 지구에서 매우 먼 거리에 있기 때문에 여러 날 동안 같은 밤하늘을 관측하면 별은 움직이지 않습니다.

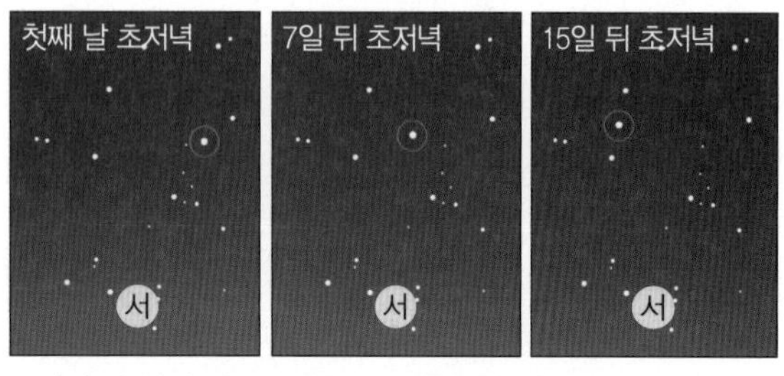

▲ 여러 날 동안 위치가 변한 ○표 한 것이 행성이다.

(3) 금성, 화성, 목성, 토성 등은 행성입니다.

5 행성은 별보다 지구에 가까이 있고 태양 주위를 돌기 때문에 별자리 사이에서 위치가 서서히 변하는 것을 볼 수 있습니다. ㉠~㉢ 중 위치가 변한 것은 ㉢입니다.

6 별은 태양보다 너무 먼 거리에 있기 때문에 작은 점으로 보입니다.

▲ 작은 점으로 보이는 별

50~53쪽

1 ㉢ 2 ③ 3 공간 4 ㉠, ㉡, ㉣, ㉤
5 ㉠ 붉은색 ㉡ 있다. 6 (2) ○ 7 2
8 해왕성 9 (1) 0.8 (2) 3.0
10 ㉞ 태양에서 거리가 멀어질수록 행성 사이의 거리도 멀어집니다. 11 태양 12 (1) 별 (2) 별 (3) 별자리
13 ㉡, 카시오페이아자리 14 선민, 은주
15 북두칠성 16 ㉡ 17 ㉞ 북두칠성의 국자 모양 끝부분에 있는 별 두 개를 연결하고, 그 거리의 다섯 배만큼 떨어진 곳에 있는 별이 북극성이기 때문입니다.
18 ㉠ 행성 ㉡ 별 19 빛
20 (1) 행성 (2) 별

1 사람을 포함한 생물이 살아가는 데 필요한 대부분의 에너지는 태양에서 얻습니다.

(내용 플러스)
태양이 생물에게 소중한 까닭
- 태양이 없었다면 지구는 차갑게 얼어붙었을 것입니다.
- 생물은 태양으로부터 에너지를 얻고 살아가기 때문입니다.

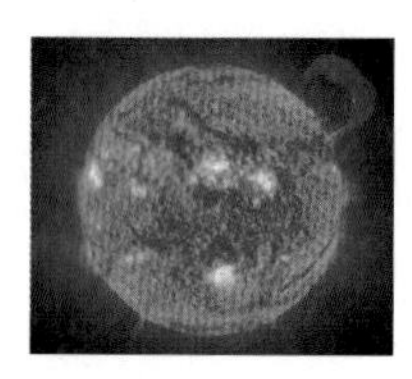

2 식물은 태양 빛을 이용해 양분을 만들어 살아갑니다.

3 태양계는 태양과 태양의 영향을 받는 천체들 그리고 그 공간을 말합니다.

4 태양계는 태양과 태양의 영향을 받는 천체들 그리고 그 공간으로 태양, 행성, 위성, 소행성, 혜성 등으로 구성됩니다. 지구와 목성은 행성입니다.

▲ 소행성

▲ 혜성

5 화성은 붉은색을 띠는 행성입니다. 표면은 지구의 사막처럼 암석과 흙으로 이루어져 있고 고리가 없으며 대기가 있으나 지구보다 훨씬 적습니다. 천왕성은 세로 방향으로 희미한 고리가 있지만, 눈에 잘 보이지 않습니다. 표면은 목성이나 토성처럼 가스로 이루어져 있고 태양계의 7번째 행성입니다.

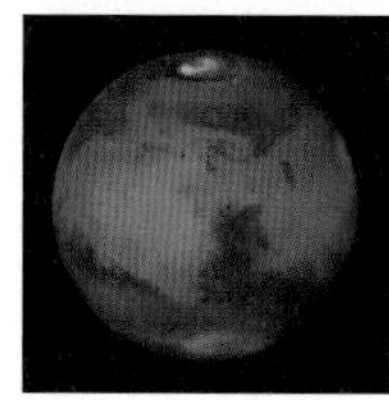

▲ 화성

▲ 천왕성

6 지구에 대한 설명입니다.

(**내용 플러스**)

수성과 토성의 특징

구분	수성	토성
색깔	어두운 회색	연노란색
표면의 상태	바위와 먼지로 이루어져 있다.	땅이 없으며, 기체로 되어 있다.
고리	없다.	커다란 고리가 있다.
위성	없다.	여러 개의 위성을 가지고 있다.
그 밖의 특징	대기가 없고, 태양계 행성 중에서 가장 작으며, 태양에 가장 가까이 있다.	태양계에서 두 번째로 큰 행성이다.

▲ 수성

▲ 토성

7 지구의 반지름을 1로 보았을 때 천왕성의 반지름은 4입니다. 천왕성의 반지름이 지구의 반지름의 4배이므로, 지구의 반지름을 0.5cm로 만들었을 때 천왕성의 반지름은 0.5cm ×4=2cm로 만들어야 합니다.

8 지구의 반지름을 1로 보았을 때 상대적인 반지름이 1보다 작은 행성은 수성, 금성, 화성입니다. 해왕성의 상대적 반지름은 3.9로 지구보다 크기가 큽니다.

9 태양에서 지구까지의 거리를 1로 보았을 때 태양에서 수성과 화성까지의 상대적인 거리는 각각 0.4, 1.5입니다. 따라서 태양에서 지구까지의 거리를 두루마리 휴지 두 칸으로 정했을 때 태양에서 수성, 화성까지의 거리는 두루마리 휴지가 각각 0.8(0.4×2)칸, 3.0(1.5×2)칸 필요합니다.

행성	휴지 칸 수	행성	휴지 칸 수
수성	0.8	목성	10.4
금성	1.4	토성	19.2
지구	2.0	천왕성	38.2
화성	3.0	해왕성	60.0

▲ 태양에서 지구까지의 거리를 두루마리 휴지 두 칸으로 정했을 때 태양에서 각 행성까지 필요한 두루마리 휴지 칸 수

10 수성, 금성, 지구, 화성과 같은 행성은 목성, 토성, 천왕성, 해왕성과 같은 행성에 비해 상대적으로 태양 가까이에 있다는 사실도 알 수 있습니다.

▲ 태양에서 지구까지의 거리를 1로 보았을 때 태양에서 행성까지의 상대적인 거리

채점 TIP 그림을 보고 알 수 있는 사실 한 가지를 옳게 쓰면 정답으로 합니다.

11 태양에서 행성까지의 상대적인 거리를 비교하는 실험이기 때문에 태양의 위치를 기준으로 각 행성의 위치를 표시합니다.

(**내용 플러스**)

두루마리 휴지로 상대적인 거리를 표현할 때 소수점은 두루마리 휴지 한 칸을 접어서 표현할 수 있습니다. 되도록 정확한 비율로 표현하기 위해 두루마리 휴지 한 칸을 접어서 표현할 수 있지만, 간편하게 수성(0.4)은 반보다 조금 더 짧게 접고, 금성(0.7)은 반의 반 칸만 접으며, 화성(1.5)은 두 번째 칸을 반으로 접어 표현할 수 있습니다.

12 태양처럼 스스로 빛을 내는 천체를 별이라고 합니다. 북극성은 항상 정확한 북쪽 밤하늘에서 볼 수 있는 별입니다. 별자리는 별의 무리를 구분해 이름을 붙인 것으로 북두칠성, 작은곰자리, 카시오페이아자리 등이 있습니다.

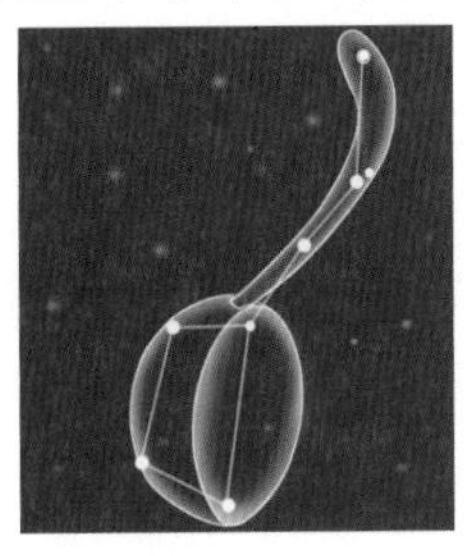

▲ 북두칠성

▲ 작은곰자리

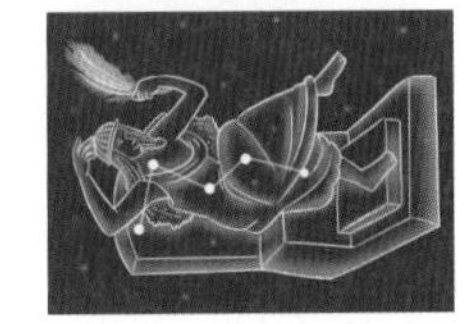
▲ 카시오페이아자리

13 ㉠은 북두칠성, ㉡은 카시오페이아자리, ㉢은 작은곰자리입니다. 북극성을 찾을 때 이용할 수 있는 별자리는 ㉠ 북두칠성과 ㉡ 카시오페이아자리입니다. ㉠, ㉡, ㉢ 모두 북쪽 밤하늘에서 볼 수 있는 별자리입니다.

14 별자리를 관측할 때는 별이 보일 만큼 하늘이 충분히 어두워지는 시각에 관측합니다. 주변이 탁 트이고 밝지 않은 곳이 별을 관측하기 적당한 장소입니다.

내용 플러스

별자리 관측하기

① 별자리를 관측할 시각과 장소를 정하고, 정해진 시각에 정해진 장소에서 나침반을 이용해 북쪽을 확인합니다.
② 북쪽 밤하늘에서 어떤 별자리가 보이는지 관측합니다.
③ 주변 건물이나 나무 등의 위치를 표현하고 별자리의 위치와 모양을 기록합니다.

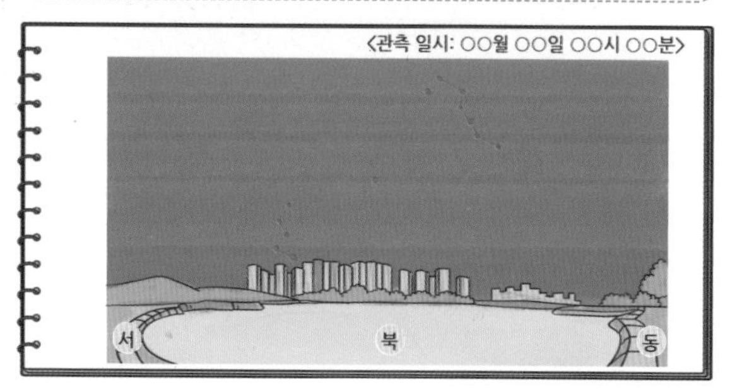

▲ 별자리 관측 결과 ㉮

15 북두칠성은 북쪽 밤하늘에서 볼 수 있는 별자리로, 국자 모양입니다.

16 북두칠성의 국자 모양 끝부분에 있는 별 두 개를 연결하고, 그 거리의 다섯 배만큼 떨어진 곳에 있는 별이 북극성이므로 북극성의 위치로 알맞은 것은 ㉡입니다.

17 북쪽 밤하늘에서 볼 수 있는 북두칠성과 카시오페이아자리를 이용해 북극성을 찾을 수 있습니다. 북두칠성의 국자 모양 끝부분에 있는 별 두 개를 연결하고, 그 거리의 다섯 배만큼 떨어진 곳에 있는 별이 북극성입니다. 카시오페이아자리에서 바깥쪽 두 선을 연장해 만나는 점과 중앙에 있는 별을 연결하고, 그 거리의 다섯 배만큼 떨어진 곳에 있는 별이 북극성입니다.

채점 TIP 북극성이라고 생각한 까닭을 옳게 쓰면 정답으로 합니다.

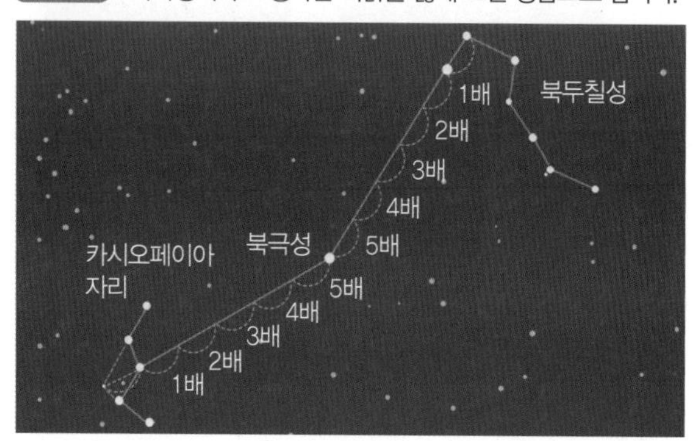

18 금성, 화성, 목성 등은 행성이고, 북극성은 별입니다.

▲ 금성

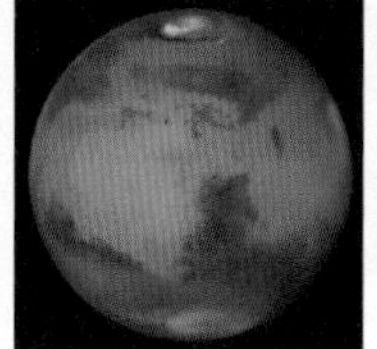
▲ 화성

▲ 목성

내용 플러스

금성, 화성, 목성, 토성과 같은 행성은 주위의 별보다 더 밝고 또렷하게 보입니다. 그 까닭은 별에 비해 금성, 화성, 목성, 토성과 같은 행성은 지구로부터 떨어져 있는 거리가 가깝기 때문입니다.

19 행성과 별의 공통점은 밤하늘에서 밝게 빛나 보인다는 것입니다. 별은 스스로 빛을 내지만 행성은 태양 빛을 반사하여 빛을 내는 것처럼 보입니다.

20 여러 날 동안 밤하늘을 관측하면 별은 위치가 변하지 않지만, 행성은 위치가 조금씩 변합니다.

서술형 문제

54~55쪽

1 ㉮ 태양은 물이 순환하는 데 필요한 에너지를 공급합니다.

2

행성 이름	㉮ 화성
색깔	㉮ 붉은색
표면의 상태	㉮ 지구의 사막처럼 암석과 흙으로 이루어져 있습니다.
고리	㉮ 없습니다.
그 밖의 특징	㉮ 지구보다 크기가 작습니다.

3 ㉮ 수성, 금성, 지구, 화성은 상대적으로 크기가 작은 행성입니다. 수성, 금성, 지구, 화성은 표면에 땅이 있습니다.
4 ㉮ 태양에서 거리가 멀어질수록 행성 사이의 거리도 멀어집니다. **5** ㉮ 별자리란 별의 무리를 구분해 이름을 붙인 것입니다. 별자리의 모습과 이름은 지역과 시대에 따라 다릅니다. **6** ㉮ 별이 보일 만큼 하늘이 충분히 어두워지는 시각에 관측합니다. 주변이 탁 트이고 밝지 않은 장소에서 관측합니다. **7** ㉮ 카시오페이아자리에서 바깥쪽 두 선을 연장해 만나는 점 ㉠을 찾아 점 ㉠과 별 ㉡을 연결하고, 그 거리의 다섯 배만큼 떨어진 곳에 있는 별을 찾습니다. **8** 행성, ㉮ 행성은 태양 주위를 돌기 때문에 여러 날 동안 지구에서 보면 위치가 변합니다.

1 태양은 지구에 있는 물이 순환하는 데 필요한 에너지를 끊임없이 공급해 줍니다. 태양 때문에 물이 증발하여 하늘 높은 곳에서 구름이 만들어지고 비가 내리며 물이 순환하게 됩니다.

채점 기준

상	물의 순환과 관련하여 태양의 영향을 옳게 쓴 경우
하	물의 순환과 관계없는 태양의 영향을 쓴 경우

(내용 플러스)

태양이 생물과 우리 생활에 미치는 영향
- 밝은 낮에 야외에서 학생들이 뛰어놀 수 있습니다.
- 태양 빛을 이용해 전기를 만들어 생활에 이용합니다.
- 태양 빛으로 바닷물이 증발해 소금이 만들어집니다.
- 식물은 태양 빛으로 광합성을 하여 양분을 만듭니다.
- 초식 동물은 식물이 만든 양분을 먹고 살아갑니다.
- 태양은 지구를 따뜻하게 해서 생물이 살아갈 수 있게 해 줍니다.

▲ 태양 빛으로 바닷물을 증발시켜 소금을 만든다.

▲ 식물은 태양 빛이 있어야 광합성을 할 수 있다.

2 천왕성에 대해 표를 완성할 수도 있습니다.

행성 이름	천왕성
색깔	청록색
표면의 상태	목성이나 토성처럼 가스로 이루어져 있습니다.
고리	세로 방향으로 희미한 고리가 있지만, 눈에 잘 보이지 않습니다.
그 밖의 특징	태양계의 7번째 행성입니다.

채점 TIP 태양계 행성 중 한 가지를 골라 표를 알맞게 완성하여 쓰면 정답으로 합니다.

3 지구의 반지름을 1로 보았을 때 행성의 반지름에 따라 상대적인 크기가 작은 행성과 상대적인 크기가 큰 행성으로 분류할 수 있습니다.

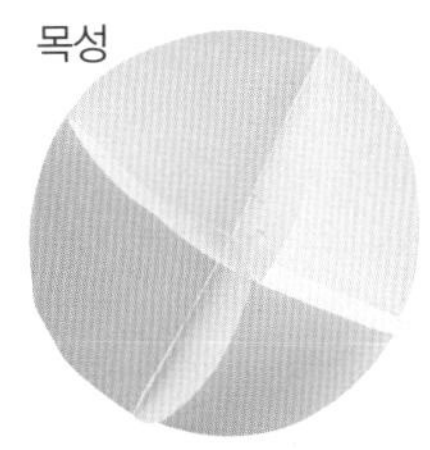

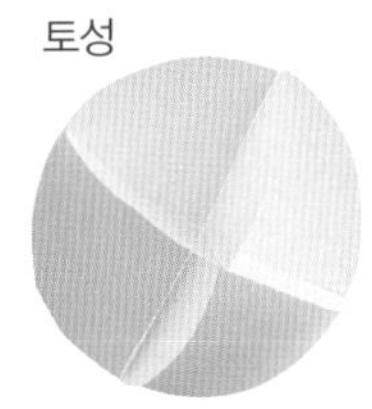

▲ 행성 크기 비교 모형

채점 기준

상	상대적인 크기가 작은 행성을 옳게 쓰고, 공통점을 옳게 쓴 경우
중	상대적인 크기가 작은 행성을 미흡하게 쓰고, 공통점을 옳게 쓴 경우
하	상대적인 크기가 작은 행성만 옳게 쓴 경우

4 행성 사이의 거리를 계산하면 수성과 금성 사이는 0.3이고, 천왕성과 해왕성 사이는 10.9입니다.

채점 기준

상	태양에서 멀어질수록 행성 사이의 거리가 멀어진다고 옳게 쓴 경우

5 별자리는 옛날 사람들이 밤하늘에 무리 지어 있는 별을 연결해 사람이나 동물 또는 물건의 모습을 떠올리고 이름을 붙인 것입니다. 밤하늘에서는 다양한 별자리를 관측할 수 있습니다.

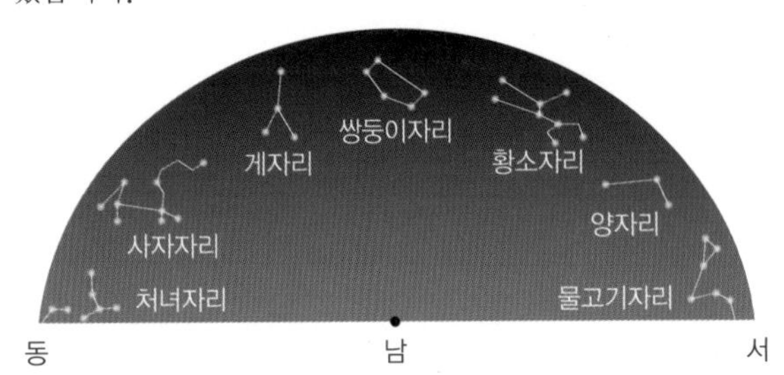

채점 기준

상	별자리의 의미와 특징을 모두 옳게 쓴 경우
중	별자리의 의미만 옳게 쓴 경우
하	별자리의 특징만 옳게 쓴 경우

6 해가 보이지 않게 되더라도 바로 어두워지는 것은 아닙니다. 해가 진 뒤 약 1시간 정도 지나야 별이 보일 정도로 어두워집니다. 또 별자리를 관측할 때에는 어른과 함께하고 너무 늦은 시간까지 관측하지 않도록 합니다.

채점 기준

상	관측 시각과 관측 장소를 모두 옳게 쓴 경우
중	관측 시각과 관측 장소 중 한 가지만 옳게 쓴 경우

7 북두칠성의 국자 모양 끝부분에서 ①과 ②를 찾아 연결하고, 그 거리의 다섯 배만큼 떨어진 곳에 있는 별을 찾는 방법도 있습니다.

채점 기준

상	북두칠성 또는 카시오페이아자리를 이용해 북극성을 찾는 방법을 옳게 쓴 경우
중	북두칠성 또는 카시오페이아자리를 이용해 북극성을 찾는 방법을 썼으나 미흡한 경우

8 행성은 위치가 변하고, 별은 위치가 변하지 않습니다.

채점 기준

상	행성을 쓰고, 그 까닭을 옳게 쓴 경우
중	행성이라고만 쓴 경우

4 용해와 용액

1 가루 물질의 용해와 용액

탐구 문제 64쪽

1 (1) ○ (3) ○ 2 예 멸치 가루가 물 위에 뜨거나 바닥에 가라앉습니다. 3 종류

1 소금과 설탕은 물에 녹습니다. 멸치 가루는 물에 녹지 않고 물과 섞여 뿌옇게 변합니다.
〈물 50mL에 각 가루 물질을 두 숟가락씩 넣고 저었을 때〉

▲ 소금

▲ 설탕

▲ 멸치 가루

2 멸치 가루는 물에 녹지 않는 물질이기 때문에 10분 뒤에는 멸치 가루와 물이 분리되어 멸치 가루가 물 위에 뜨거나 바닥에 가라앉습니다. 소금과 설탕을 넣은 물은 10분 동안 가만히 두었을 때 투명하고 뜨거나 가라앉은 것이 없습니다.
〈물 50mL에 각 가루 물질을 두 숟가락씩 넣고 저은 후 10분 동안 두었을 때〉

▲ 소금

▲ 설탕

▲ 멸치 가루

3 물에 가루 물질을 넣으면 물질의 종류에 따라 녹기도 하고, 녹지 않기도 합니다.

확인 문제 65쪽

1 (2) ○ 2 ㉠ 용해 ㉡ 용액
3 (1) ㉠, ㉡, ㉣ (2) ㉢ 4 홍민 5 (1) ○
6 50

1 멸치 가루는 물에 녹지 않습니다. 멸치 가루를 물에 넣고 저으면 멸치 가루가 물과 섞여 뿌옇게 변합니다.

▲ 멸치 가루를 물에 넣고 저으면 멸치 가루가 물과 섞여 뿌옇게 변한다.

▲ 10분 동안 그대로 두면 멸치 가루가 물 위에 뜨거나 바닥에 가라앉는다.

2 어떤 물질이 다른 물질에 녹아 골고루 섞이는 현상을 용해, 녹는 물질이 녹이는 물질에 골고루 섞여 있는 물질을 용액, 녹는 물질을 용질, 녹이는 물질을 용매라고 합니다.

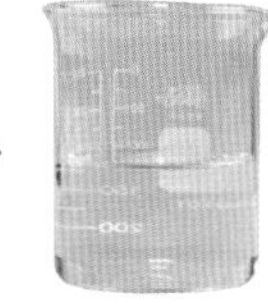

소금(용질) 물(용매) 소금물(용액)

3 식초, 구강 청정제, 분말주스 용액은 오래 두어도 뜨거나 가라앉는 것이 없는 용액입니다.

▲ 식초 ▲ 구강 청정제 ▲ 분말주스 용액

내용 플러스

미숫가루를 탄 물, 흙탕물 등은 시간이 지나면 바닥에 가라앉는 물질이 생기기 때문에 용액이 아닙니다.

▲ 미숫가루를 탄 물

◀ 흙탕물

4 용액은 두 가지 이상의 물질이 균일하게 섞여 있는 혼합물입니다. 용액은 오래 두어도 뜨거나 가라앉는 것이 없습니다. 딸기를 갈아 만든 딸기주스는 가만히 두었을 때 딸기 층과 물 층으로 분리되어 뜨거나 가라앉는 것이 생기므로 용액이 아닙니다.

내용 플러스

주스도 용액일까?
시중에서 판매되는 주스는 일반적으로 뜨거나 가라앉는 물질이 없습니다. 이들은 실제 과일을 갈아 넣은 것이 아니라 인공 향으로 주스와 같은 맛과 향을 낸 것입니다. 따라서 두 가지 이상의 물질이 골고루 섞여 있으므로 용액이라고 할 수 있습니다. 반면에 과일을 생으로 갈거나 즙을 내어 만든 주스는 가만히 두었을 때 과일 층과 물 층으로 분리되어 뜨거나 가라앉는 것이 생기므로 용액이 아닙니다.

5 각설탕을 물에 넣으면 각설탕에서 거품이 생겨 위로 올라가고 시간이 흐르면서 큰 각설탕이 작은 설탕 가루로 부서집니다. 이때 아지랑이 같은 물질이 많이 생깁니다. 시간이 더 많이 흐르면 작은 설탕 가루가 물에 녹아 눈에 보이지 않게 되고 투명한 설탕물만 남습니다.

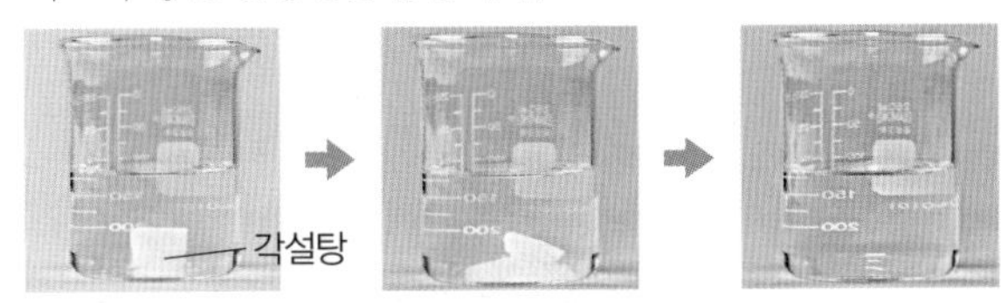

▲ 각설탕을 물에 넣었을 때

6 용질이 물에 용해되기 전과 용해된 후의 무게는 같습니다. 따라서 소금과 물의 무게의 합은 소금물 용액의 무게와 같습니다. 소금(5g)+물=소금물 용액(55g)이므로, 물=소금물 용액(55g)−소금(5g)=50g입니다.

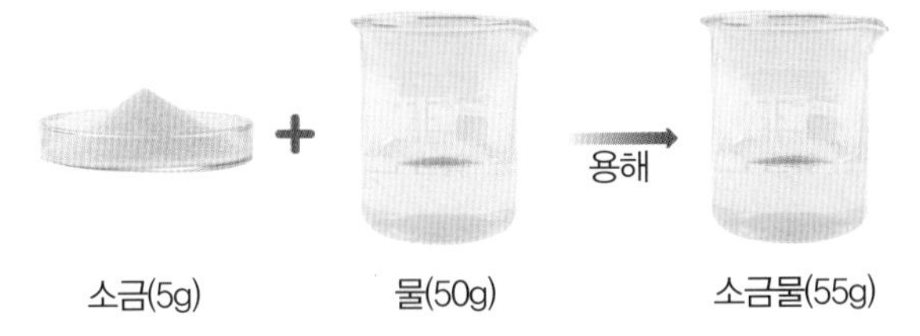

2 용질이 물에 용해되는 양

탐구 문제 68쪽

1 설탕　　2 (2) ○

1 같은 온도와 양의 물에 각각 설탕과 베이킹 소다를 약숟가락으로 두 숟가락 넣었을 때 설탕은 다 용해되고, 베이킹 소다는 다 용해되지 않았습니다. 따라서 같은 온도와 양의 물에 더 많이 용해되는 것은 설탕입니다.

〈물 50mL에 설탕과 베이킹 소다를 한 숟가락씩 넣었을 때〉

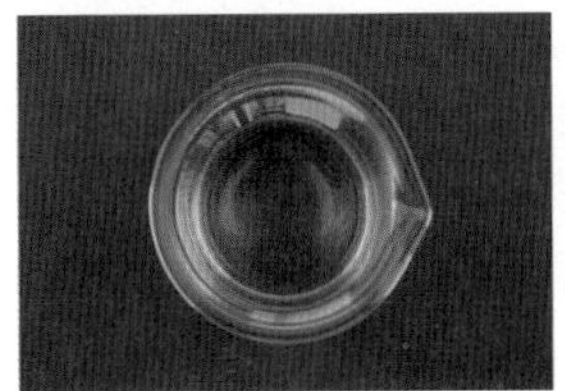
▲ 설탕

▲ 베이킹 소다

2 온도와 양이 같은 물에 약숟가락으로 소금과 분말주스 가루를 각각 여덟 숟가락씩 넣었을 때 소금은 다 용해되지 않고, 분말주스 가루는 다 용해되었습니다. 따라서 온도와 양이 같은 물에서 분말주스 가루가 소금보다 더 많이 용해됩니다.

◀ 분말주스 가루를 물에 용해시키면 물과 골고루 섞여 뜨거나 가라앉는 것이 없다.

확인 문제 69쪽

1 ㉠　　2 설탕, 소금, 베이킹 소다　　3 (1) ○
4 용해도　　5 미연　　6 ㉡, ㉢

1 같은 온도와 양의 물에 용해되는 양은 용질마다 서로 다릅니다. 같은 온도와 양의 물에 소금이 베이킹 소다보다 더 많이 용해됩니다.

〈물 50mL에 소금과 베이킹 소다를 두 숟가락씩 넣었을 때〉

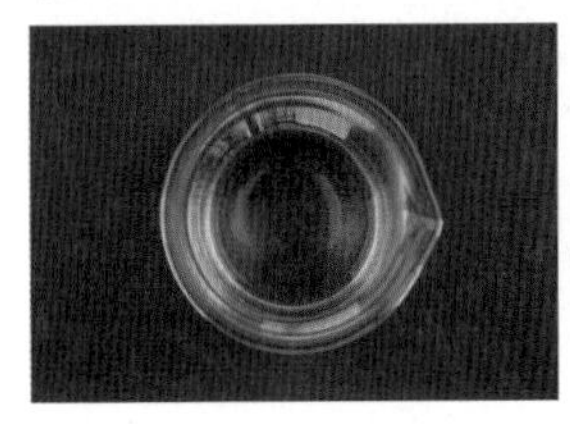
▲ 소금

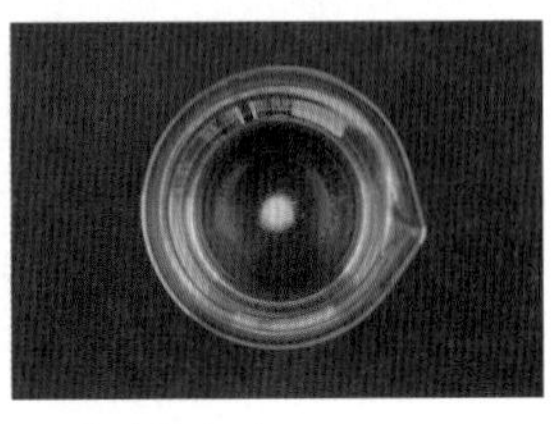
▲ 베이킹 소다

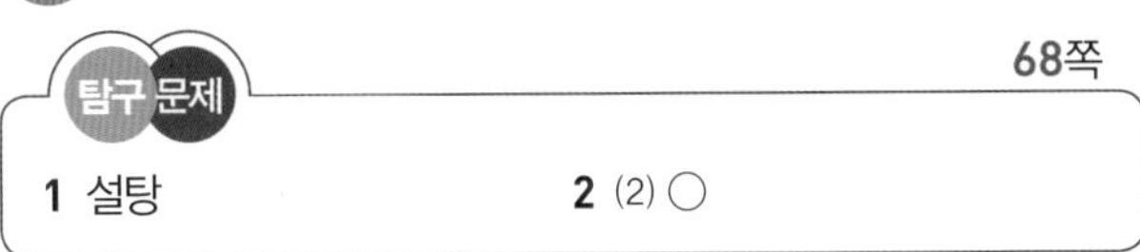

2 온도와 양이 같은 물에서 설탕>소금>베이킹 소다 순으로 많이 용해됩니다.

3 표에서 베이킹 소다는 두 숟가락 넣었을 때부터 다 용해되지 않고 바닥에 남았습니다. 따라서 세 숟가락을 넣으면 다 용해되지 않고 바닥에 남습니다.

〈물 50mL에 여러 가지 용질을 세 숟가락씩 넣었을 때〉

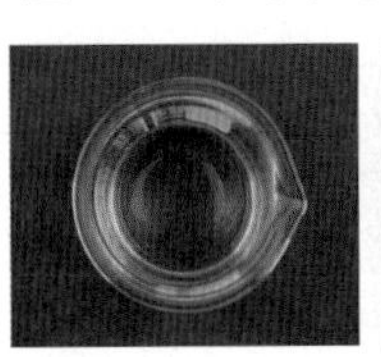
▲ 설탕

▲ 소금

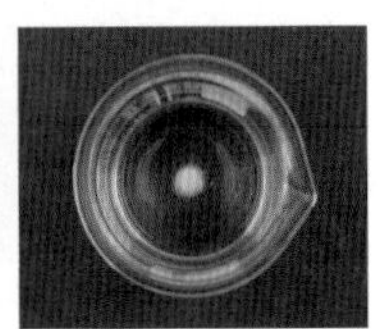
▲ 베이킹 소다

4 어떤 온도에서 물 100g에 최대로 용해될 수 있는 용질의 g 수를 용해도라고 합니다. 예를 들어 20℃ 물 100g에 소금 30g이 최대로 용해된다면 20℃의 물에서 소금의 용해도는 36입니다. 특정 온도에서 용해도는 물질마다 서로 다릅니다. 온도 변화에 따른 물질의 용해도 변화를 그래프로 나타낸 것이 용해도 곡선입니다. 용해도 곡선 상의 점은 포화 용액, 곡선 아래에 있는 점은 불포화 용액, 곡선 위에 있는 점은 과포화 용액을 나타냅니다.

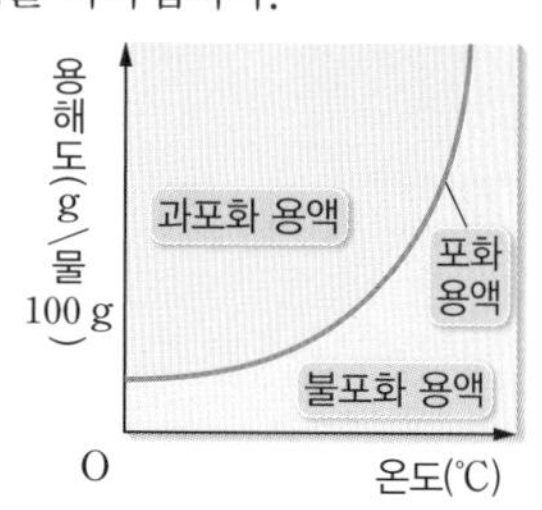

5 물의 온도를 높이면 더 많은 용질을 용해할 수 있습니다.

▲ 코코아차를 전자레인지에 데워 온도를 높이면 더 많은 코코아 가루를 용해할 수 있다.

6 따뜻한 물에서 모두 용해된 백반 용액이 든 비커를 얼음물에 넣으면 백반 알갱이가 다시 생겨 바닥에 가라앉습니다. 백반이 따뜻한 물에 녹아 보이지 않다가 물의 온도가 낮아지면서 다 용해되지 못한 백반이 바닥에 가라앉는 것입니다. 따라서 차가워진 물에 녹아 있는 백반의 양은 바닥에 가라앉은 백반 양만큼 적어집니다.

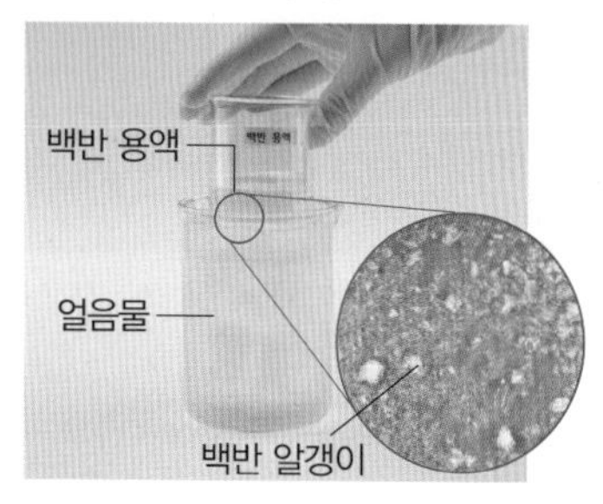

3 용액의 진하기

탐구 문제 72쪽

1 (1) 한 (2) 열
2 용액의 맛, 용액의 높이, 용액의 무게

1 용액이 진하면 물체가 높이 뜹니다. 따라서 방울토마토가 물에 뜬 것이 각설탕 열 개를 넣은 비커입니다.

▲ 각설탕 한 개를 용해한 용액

▲ 각설탕 열 개를 용해한 용액

2 흰색 각설탕을 한 개 용해한 용액과 흰색 각설탕을 열 개 용해한 용액은 무색투명하여 색깔로 진하기를 비교하기 어렵습니다. 또 스타이로폼은 너무 가벼워서 뜨는 정도로 용액의 진하기를 비교하기 어렵습니다.

확인 문제 73쪽

1 용질 2 미진 3 (1) ㉠ (2) ㉡
4 ㉡, ㉢ 5 (1) ○ 6 설탕

1 사해의 물은 우리나라의 물에 비해 염분(소금 등)이 많이 포함되어 있습니다. 즉, 용액의 진하기가 다릅니다. 용액의 진하기는 같은 양의 용매에 용해된 용질의 많고 적은 정도를 나타냅니다. 용매의 양이 같을 때 용해된 용질의 양이 많을수록 진한 용액입니다.

▲ 염도가 높은 사해

2 황설탕 용액은 맛이 진할수록, 색깔이 진할수록, 높이가 높을수록 더 진한 용액입니다.

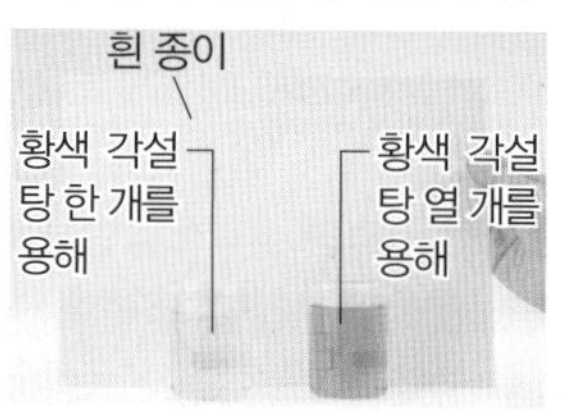

▲ 황설탕 용액의 색깔 비교

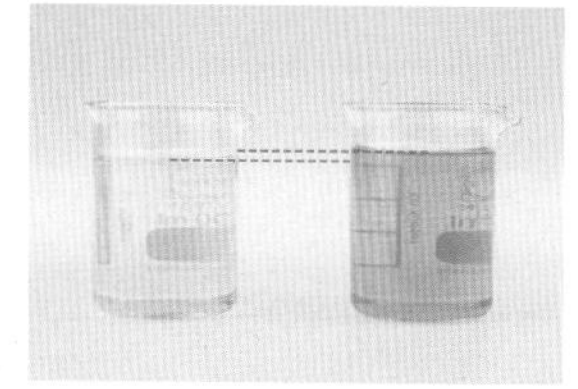

▲ 황설탕 용액의 높이 비교

3 ㉡의 색깔이 ㉠의 색깔보다 더 진하기 때문에 ㉡이 더 진한 용액입니다. 더 진한 용액의 무게가 더 무겁기 때문에 ㉠의 무게가 142g, ㉡의 무게가 145g입니다.

---(내용 플러스)---
용액의 무게로 진하기를 비교할 때 용액의 양이 너무 많으면 전자저울로 측정이 불가능한 경우가 있으므로 주의합니다.

4 물체가 뜨는 정도로 용액의 진하기를 비교하는 실험에서는 무게와 크기가 적당한 물체를 사용해야 합니다. 스타이로폼은 너무 가벼워서 가라앉지 않고, 돌멩이는 너무 무거워서 뜨지 않습니다.

5 장을 담글 때 소금물에 달걀을 띄워 달걀이 떠오르는 정도를 보고 적당한 진하기를 확인할 수 있습니다. 달걀이 더 높이 떠오를수록 진한 용액입니다.

▲ 달걀로 소금물의 진하기 확인하기

6 바닥에 가라앉은 방울토마토를 물 위로 뜨게 하려면 용액의 진하기가 진해져야 합니다. 용액이 진해지려면 더 많은 설탕을 넣어야 합니다.

설탕
더 넣기

단원 평가

74~77쪽

1 (1) × (2) ○ (3) ○ (4) × **2** (1) 소금, 설탕 (2) 멸치 가루
3 ㉠ 용질 ㉡ 용매 ㉢ 용액 **4** ㉣, ㉤ **5** 명호
6 (3) ○ **7** ㉠ 100 ㉡ 12 **8** 용질의 종류
9 소금 **10** ㉠, ㉡ **11** ㉡, ㉠ 40℃의 물 50mL를 측정 **12** (4) ○ **13** 강호 **14** (2) ○
15 예 용액의 진하기는 같은 양의 용매에 용해된 용질의 많고 적은 정도입니다. **16** ⑤ **17** ㉡
18 (나), (가), (다) **19** ② **20** 예 물을 더 넣습니다.

1 (2), (3)은 용해 현상입니다. (1)은 고체가 액체로 변하는 현상입니다. (4)는 증발 현상입니다.

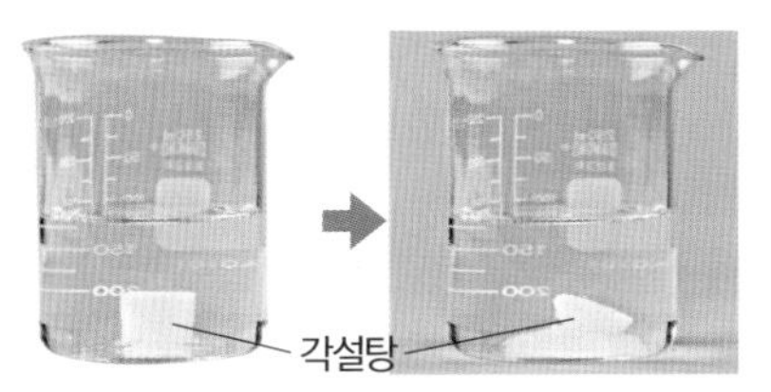

▲ 물에 각설탕을 넣으면 크기가 작아진다.

2 소금, 설탕은 물에 녹아 투명하게 되었고, 멸치 가루는 물에 녹지 않아 물 위에 뜨거나 바닥에 가라앉았습니다.

---(내용 플러스)---
소금, 설탕, 멸치 가루 등 각 가루 물질을 두 숟가락씩 넣을 때, 한 숟가락에 담긴 각 물질의 양이 비슷해야 합니다.

3 녹는 물질이 녹이는 물질에 골고루 섞여 있는 물질을 용액이라고 합니다. 이때 녹는 물질을 용질이라고 하고, 녹이는 물질을 용매라고 합니다. 즉, 소금(용질)이 물(용매)에 녹아 소금물이 될 때 소금이 물에 녹는 현상을 용해라고 하고, 이때 만들어진 소금물을 용액이라고 합니다.

4 용액은 거름종이로 걸러 내면 거름종이에 남는 물질이 없지만 미숫가루를 탄 물과 멸치 가루를 탄 물은 용액이 아니기 때문에 거름종이로 걸러 내면 거름종이 위에 미숫가루와 멸치 가루가 남습니다.

---(내용 플러스)---
거름 장치로 용액과 용액이 아닌 것 구별하기
용액과 용액이 아닌 것을 구별할 때 거름종이로 걸러 비교하는 방법이 있습니다. 용액은 거름종이 위에 남는 물질이 없는 반면, 용액이 아닌 것은 걸렀을 때 거름종이 위에 남는 물질이 있습니다.
- 준비물: 깔때기대, 깔때기, 유리 막대, 거름종이, 스포이트, 물, 용액과 용액이 아닌 것
- 과정
① 거름종이를 접은 뒤 물을 묻혀 깔대기에 붙입니다.
② 깔때기 끝의 긴 부분을 비커의 옆면에 붙인 뒤 거르고자 하는 물질이 유리 막대를 타고 흐르도록 붓습니다.
③ 거름종이에 남은 물질을 확인합니다.

5 용액은 오래 두어도 뜨거나 가라앉는 것이 없습니다. 두 가지 이상의 물질이 균일하게 섞여 있는 혼합물이기 때문에 용액의 어느 부분을 보아도 물질이 섞인 정도가 같습니다. 오른쪽은 파란색 물질과 갈색 물질이 섞여 있는 혼합물입니다.

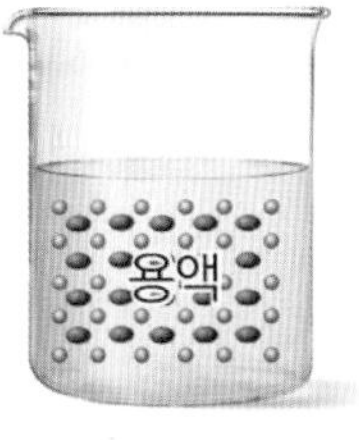

6 각설탕을 물에 넣으면 시간이 흐르면서 큰 각설탕이 작은 설탕 가루로 부서집니다. 설탕 가루는 물에 골고루 섞이고, 완전히 용해되어 눈에 보이지 않게 됩니다.

7 용질이 물에 용해되기 전과 용해된 후의 무게는 같습니다. 용질이 물에 용해되어도 없어지지 않고 물속에 남아 있기 때문입니다.

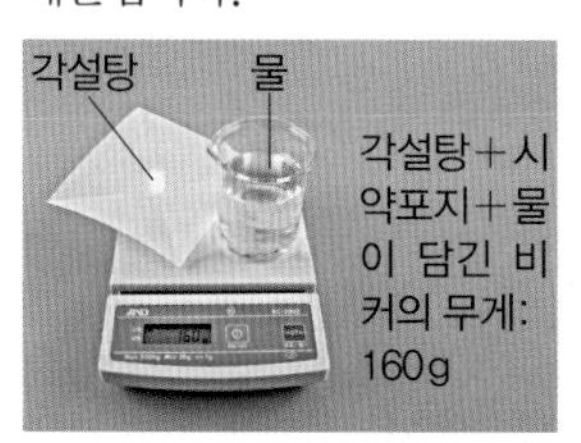

▲ 각설탕이 물에 용해되기 전의 무게: 160g

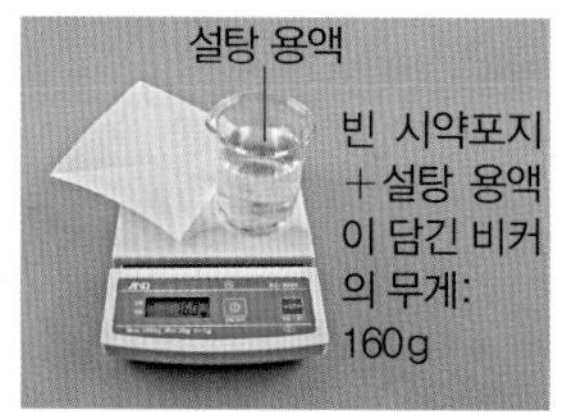

▲ 각설탕이 물에 용해된 후의 무게: 160g

(내용 플러스)

용해 전후 무게에 차이가 나는 까닭

전자저울을 사용하여 용해 전후의 무게를 측정할 때 측정값에 차이가 나는 경우가 있습니다. 이것은 용해 과정에서 물이 증발하거나 유리 막대로 물을 젓는 과정에서 물이 소실되기 때문입니다.

8 여러 가지 용질이 물에 용해되는 양을 비교하는 실험이므로 용질의 종류를 다르게 하고, 다른 조건은 모두 동일하게 합니다.

9 물의 양이 많을수록 용질이 더 많이 용해됩니다. 하지만 용질이 용해되는 양의 순서는 변하지 않기 때문에 물의 양을 반으로 줄여도 소금이 베이킹 소다보다 더 많이 용해됩니다.

(내용 플러스)

온도가 같은 물의 양을 두 배로 하였을 때 소금과 베이킹 소다가 용해되는 양

소금과 베이킹 소다 모두 더 많은 양이 용해되지만, 용해되는 양의 순서는 변하지 않으므로 소금, 베이킹 소다 순으로 많이 용해됩니다.

10 온도와 양이 같은 물에서 베이킹 소다와 분말주스 가루를 각각 같은 양만큼 넣었을 때 베이킹 소다는 바닥에 남았지만 분말주스 가루는 다 용해되었습니다. 이를 통해 온도와 양이 같은 물에서 분말주스 가루가 베이킹 소다보다 더 많이 용해되고 물질마다 용해되는 양이 다르다는 것을 알 수 있습니다.

11 물의 온도에 따라 백반이 용해되는 양을 비교하기 위한 실험이므로 물의 온도만 다르게 하고 다른 조건은 모두 동일하게 합니다. 10℃의 물과 40℃의 물의 양은 동일해야 합니다.

채점 TIP 물의 양이 동일해야 한다는 의미로 쓰면 정답으로 합니다.

12 물의 온도가 높을수록 용질이 많이 용해됩니다.

▲ 물의 온도에 따라 백반이 용해되는 양

13 물의 온도가 높을수록 용질이 많이 용해됩니다. 백반 용액을 가열하면 물의 온도가 높아져 더 많은 양의 백반이 용해됩니다.

(내용 플러스)

젓는 빠르기와 용질이 물에 용해되는 양

소금을 용해한 포화 용액에 소금을 더 넣어 바닥에 소금이 가라앉았을 때 유리 막대로 용액을 빨리 저어도 소금은 더 이상 용해되지 않습니다. 물에 용질을 넣고 젓는 빠르기는 용질이 용해되는 양과는 관계가 없습니다.

14 따뜻한 물에서 모두 용해한 백반 용액이 든 비커를 얼음물에 넣으면 백반 알갱이가 다시 생겨 바닥에 가라앉습니다. 백반이 따뜻한 물에 녹아 보이지 않다가 물의 온도가 낮아지면서 다 용해되지 못한 백반이 바닥에 가라앉는 것입니다. 백반 알갱이가 생기려면 물의 온도를 낮추는 실험을 해야 합니다.

▲ 얼음물에 넣어 백반 용액의 온도 낮추기

15 용매의 양이 같을 때 용해된 용질의 양이 많을수록 진한 용액입니다.

채점 TIP 낱말 세 가지를 모두 사용하여 옳게 설명하여 쓰면 정답으로 합니다.

16 용액의 진하기는 맛, 색깔, 무게, 높이와 같은 겉보기 성질을 이용해 비교할 수 있습니다. 냄새와 젓는 소리로는 용액의 진하기를 비교할 수 없습니다.

(내용 플러스)

용액의 색깔 비교

황설탕 용액과 같이 색이 있는 용질은 물에 용해했을 때 용액의 진하기를 색깔로 비교할 수 있습니다. 이때 용액의 뒤에 흰 종이를 대고 관찰하면 진하기를 더 잘 비교할 수 있습니다.

17 용액의 높이를 비교했을 때 높이가 더 높은 용액이 더 진한 용액입니다. 더 진한 용액은 무게가 더 무겁습니다. 따라서 ㉡이 ㉠보다 더 무겁습니다.

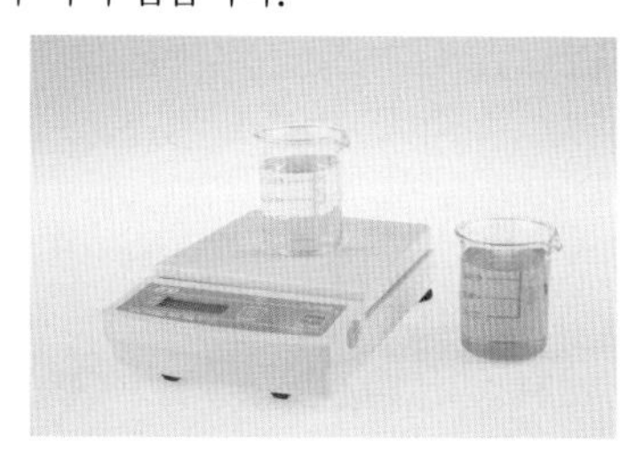

▲ 용액의 무게 비교하기

18 진한 용액일수록 메추리알이 높이 뜹니다. 용액이 진할수록 용해된 소금의 양이 많습니다. 따라서 소금이 용해된 양이 많은 용액의 순서는 (나), (가), (다)입니다.

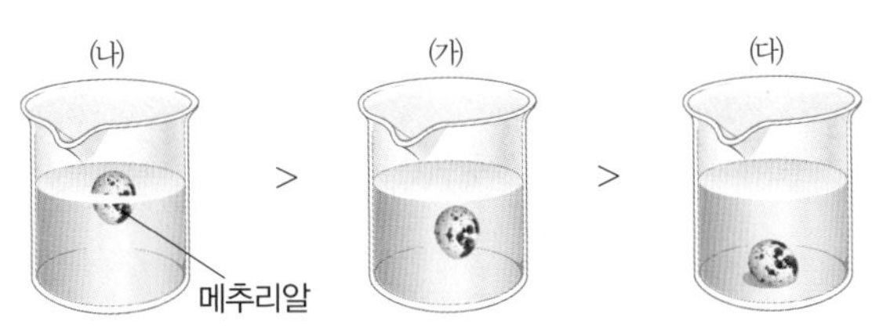

▲ 용액의 진하기 순서

19 메추리알의 무게가 같은 것을 사용하기 위해서입니다. 메추리알의 무게가 다르면 메추리알의 무게 때문에 각 비커에서 뜨는 정도에 차이가 생길 수 있습니다.

> **(내용 플러스)**
> **용액에 띄울 때 사용하는 물체**
> 용액의 진하기에 따라 뜨는 정도가 다른 적당한 크기와 무게를 가진 것으로 합니다. 즉, 방울토마토나 메추리알 등이 적당하며 돌멩이처럼 너무 무겁거나 스타이로폼처럼 너무 가벼운 것은 피합니다.

20 메추리알을 가라앉게 하려면 용액의 진하기를 묽게 해야 합니다.

채점 TIP 용액의 진하기를 묽게 만드는 방법을 한 가지 옳게 쓰면 정답으로 합니다.

78~79쪽

1 예 소금과 설탕은 물에 녹습니다. 멸치 가루는 물과 섞여 뿌옇게 변합니다. **2** 예 오래 두어도 뜨거나 가라앉는 물질이 없습니다. 거름종이로 걸러 내면 거름종이에 남는 물질이 없습니다. **3** 예 각설탕을 물에 넣으면 부스러지면서 크기가 작아지고, 완전히 용해되어 눈에 보이지 않게 됩니다. **4** 예 물에 용해된 설탕이 없어진 것이 아니라 매우 작게 변해 물속에 남아 있기 때문입니다. **5** 예 온도와 양이 같은 물에 여러 가지 용질을 넣었을 때 용질마다 물에 용해되는 양이 다릅니다. **6** 예 백반 알갱이가 다시 생겨 바닥에 가라앉습니다. 물의 온도가 낮아지면서 다 용해되지 못한 백반이 바닥에 가라앉기 때문입니다. **7** 예 용액의 색깔을 비교합니다. 황설탕 용액과 같이 색깔이 있는 용액은 색깔이 진할수록 진한 용액입니다. **8** 예 사해의 물은 염도가 높기 때문에 사람이 가만히 있어도 물에 뜨고 계곡 물은 염도가 낮기 때문에 사람이 가라앉는 것입니다.

1 물에 가루 물질을 넣으면 물질의 종류에 따라 어떤 물질은 녹고, 어떤 물질은 녹지 않습니다.
〈물 50mL에 각 가루 물질을 같은 양씩 넣고 저었을 때〉

▲ 소금 ▲ 설탕 ▲ 멸치 가루

채점 기준

상	소금, 설탕, 멸치 가루의 실험 결과를 모두 옳게 쓴 경우
중	소금, 설탕, 멸치 가루 중 두 가지 결과만 옳게 쓴 경우
하	소금, 설탕, 멸치 가루 중 한 가지 결과만 옳게 쓴 경우

2 용액은 오래 두어도 뜨거나 가라앉는 물질이 없습니다. 미숫가루를 탄 물과 같이 시간이 지나면 바닥에 가라앉는 물질이 생기는 것은 용액이 아닙니다.

채점 기준

상	용액의 특징 두 가지를 옳게 쓴 경우
중	용액의 특징을 한 가지만 옳게 쓴 경우

3 시간이 흐르면서 큰 각설탕이 작은 설탕 가루로 부서집니다. 시간이 더 많이 흐르면 작은 설탕 가루가 물에 녹아 눈에 보이지 않게 되고 투명한 설탕 용액만 남습니다.

> **(내용 플러스)**
> **분말주스 가루가 물에 용해되는 모습**
> 오른쪽 사진은 분말주스 가루가 작은 입자로 변하여 아지랑이처럼 녹아내리는 모습을 보여 줍니다. 분말주스 가루가 물에 용해되면 분말주스 가루 주위의 물은 다른 부분보다 순간적으로 밀도가 높아집니다. 그 부분을 통과하는 빛이 굴절되어 아지랑이처럼 보이다가 분말주스 가루 입자가 주변으로 골고루 퍼지면서 사라지게 됩니다.

채점 기준

상	각설탕이 작아지고, 작은 크기의 설탕으로 나뉘어 물에 골고루 섞여 눈에 보이지 않게 된다고 옳게 쓴 경우
중	각설탕이 작아지고 물에 골고루 섞인다고만 쓴 경우
하	각설탕이 작아진다고만 쓴 경우

4 용질이 물에 용해되면 없어지는 것이 아니라 물과 골고루 섞여 용액이 됩니다. 따라서 용질이 물에 용해되어 용액이 될 때 용질이 물에 용해되기 전과 용해된 후의 무게가 같습니다.

채점 기준

상	물에 용해된 설탕이 물속에 남아 있기 때문이라고 옳게 쓴 경우
중	설탕이 없어진 것이 아니라고만 쓴 경우

5 같은 온도와 양의 물에서 설탕>소금>베이킹 소다 순으로 물에 많이 용해됩니다.

채점 기준

상	알 수 있는 사실을 옳게 쓴 경우
중	물질마다 용해되는 양이 다르다고만 쓴 경우
하	설탕은 물에 많이 용해되고 베이킹 소다는 물에 많이 용해되지 않는다고만 쓴 경우

6 물의 온도가 높을수록 용질이 많이 용해됩니다. 물의 온도가 낮아지면 용해될 수 있는 용질의 양이 적어지면서 물에 용해되어 있던 백반이 다 용해되지 못하고 백반 알갱이가 다시 생겨 바닥에 가라앉습니다.

채점 기준

상	나타나는 변화와 그 까닭을 모두 옳게 쓴 경우
중	나타나는 변화만 옳게 쓴 경우

7 맛, 무게, 높이로 용액의 진하기를 비교할 수도 있습니다. 단맛이 강할수록, 무게가 무거울수록, 높이가 높을수록 더 진한 용액입니다.

채점 기준

상	용액의 진하기를 비교하는 방법과 진한 용액의 특징을 모두 옳게 쓴 경우
중	용액의 진하기를 비교하는 방법만 옳게 쓴 경우

8 용액이 진할수록 물체가 높이 떠오릅니다.

내용 플러스

용액이 진할수록 물체가 더 많이 뜨는 까닭

기체나 액체 속에 있는 물체가 위로 뜨려는 힘을 부력이라고 합니다. 진한 용액이 연한 용액보다 더 무겁고, 무거울수록 용액에 넣는 물체가 받는 부력이 커져서 물체가 많이 떠오릅니다. 따라서 용액이 진할수록 물체가 더 많이 뜨는 것입니다.

▲ 방울토마토는 진한 소금물 용액에서 높이 떠오른다.

채점 기준

상	까닭을 염도와 관련하여 옳게 쓴 경우
중	까닭을 썼으나 미흡한 경우

5 다양한 생물과 우리 생활

1 우리 주변의 다양한 생물

탐구 문제 88쪽

1 (1) 현 (2) 현 (3) 눈 2 주름
3 (1) 버섯 (2) 곰팡이

1 곰팡이를 맨눈으로 보면 푸른색, 검은색, 하얀색 등의 곰팡이가 보이지만 정확한 모습을 알 수 없습니다. 곰팡이를 실체 현미경으로 관찰하면 가는 실 같은 것이 많고 거미줄처럼 서로 엉켜 있습니다.

▲ 빵에 생긴 곰팡이

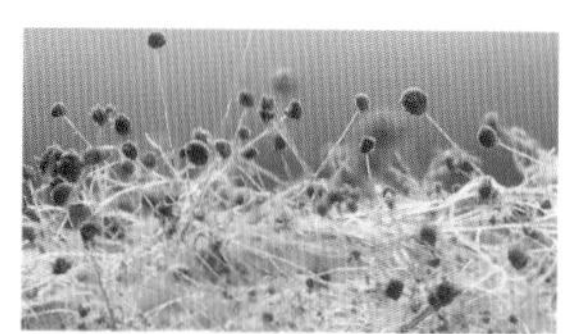
▲ 실체 현미경으로 관찰한 곰팡이

2 버섯을 실체 현미경으로 관찰하면 버섯 윗부분의 안쪽에 주름이 깊게 파여 있습니다.

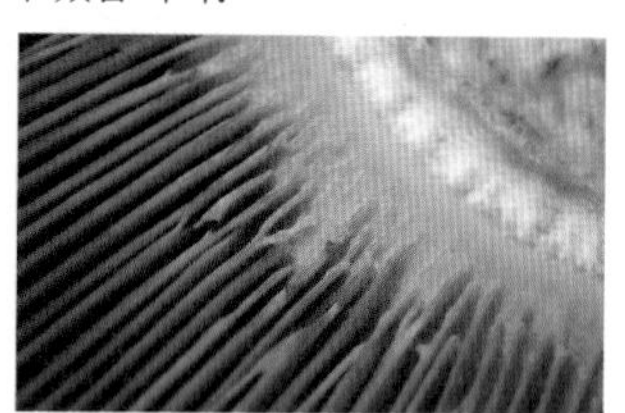
▲ 실체 현미경으로 관찰한 버섯

3 곰팡이는 실체 현미경으로 보면 가는 실 같은 것이 많고, 크기가 작고 둥근 알갱이가 많이 보입니다. 또 가는 실 같은 것이 거미줄처럼 엉켜 있습니다. 버섯은 실체 현미경으로 보면 윗부분의 안쪽에 주름이 많고 깊게 파여 있습니다. 또 보통 식물에 있는 줄기와 잎 같은 모양이 없습니다.

확인 문제 89쪽

1 (1) 포자 (2) 여름철 (3) 없다 (4) 보이지 않는다.
2 혜빈 3 ㉢ 4 (1) 해 (2) 짚 (3) 짚 (4) 해
5 미역, 해캄, 아메바, 짚신벌레
6 ㉠ 받침 유리 ㉡ 덮개 유리

1 곰팡이는 포자로 번식하고, 따뜻하고 축축한 곳에서 잘 자라며 여름철에 많이 볼 수 있습니다. 주로 다른 생물이나 죽은 생물에 붙어 살면서 양분을 얻습니다.

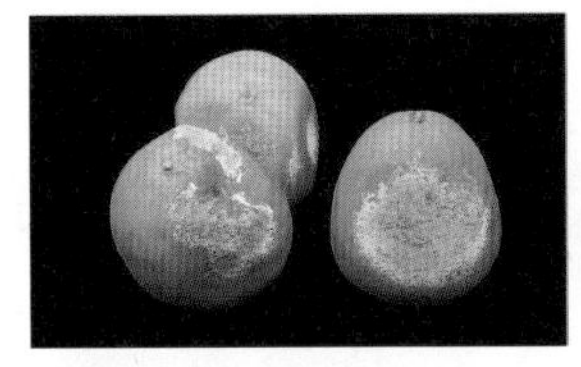
▲ 귤에 자란 곰팡이

▲ 사과에 자란 곰팡이

2 버섯은 따뜻하고 축축한 환경에서 잘 자라고 여름철에 많이 볼 수 있습니다.

▲ 축축한 낙엽에 자란 버섯

▲ 나무에 자란 버섯

3 균류는 보통 거미줄처럼 가늘고 긴 모양의 균사로 이루어져 있습니다.

(내용 플러스)

곰팡이와 버섯 같은 균류는 전체가 균사로 구성되어 있으며, 균사는 세포들이 사슬처럼 연결된 하나의 가닥을 말합니다. 이 균사들이 그물망처럼 연결되어 만들어진 덩어리를 균사체라고 합니다. 실제 균류의 균사는 우리가 눈으로 볼 수 있는 지표면 위에 있는 부분뿐만 아니라 눈에 보이지 않는 곳에서도 넓게 퍼져 있습니다.

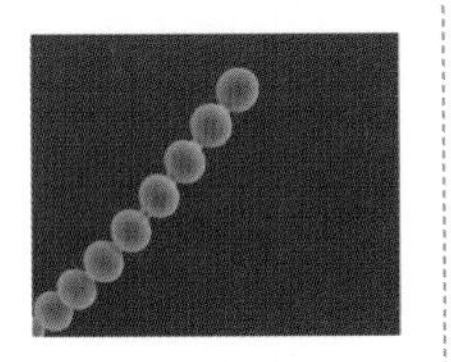
▲ 균사

4 짚신벌레 영구 표본을 광학 현미경으로 보면 길쭉한 모양이고 바깥쪽에 가는 털이 있습니다. 해캄을 광학 현미경으로 보면 대나무와 같이 마디로 나누어져 있고, 여러 개의 가는 선이 보이며 크기가 작고 둥근 알갱이가 있습니다.

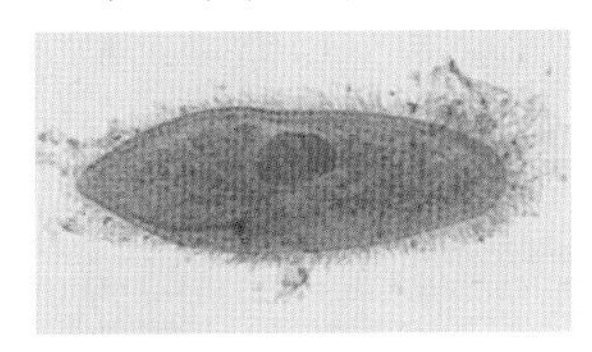
▲ 짚신벌레

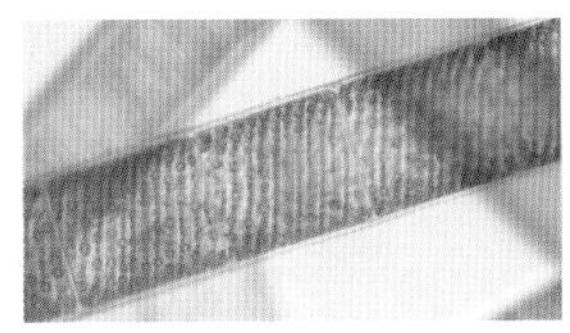
▲ 해캄

(내용 플러스)

짚신벌레 영구 표본을 광학 현미경으로 관찰하는 방법

① 회전판을 돌려 배율이 가장 낮은 대물렌즈가 중앙에 오도록 합니다.
② 전원을 켜고 조리개로 빛의 양을 조절한 뒤에 영구 표본을 재물대에 고정합니다.
③ 현미경을 옆에서 보면서 조동 나사로 재물대를 돌려 영구 표본과 대물렌즈의 거리를 최대한 가깝게 합니다.
④ 조동 나사로 재물대를 내리면서 접안렌즈로 짚신벌레를 찾고, 미동 나사로 짚신벌레가 뚜렷하게 보이게 조절합니다.
⑤ 대물렌즈로 배율을 높이고 미동 나사로 초점을 맞추어 관찰합니다.

5 원생생물은 생김새가 단순하고, 동물, 식물, 균류로 분류되지 않습니다. 해캄, 아메바, 종벌레, 유글레나 등과 바다에서 사는 김, 미역, 다시마, 클로렐라 등도 원생생물에 속합니다.

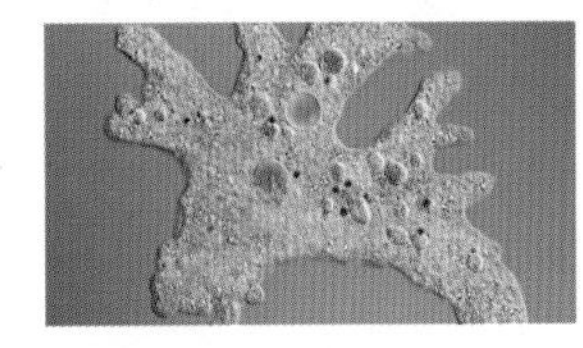
▲ 아메바

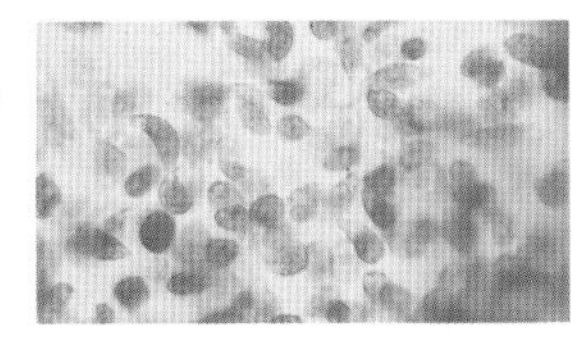
▲ 클로렐라

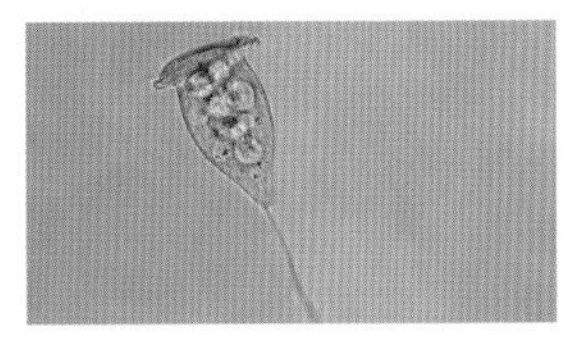
▲ 종벌레

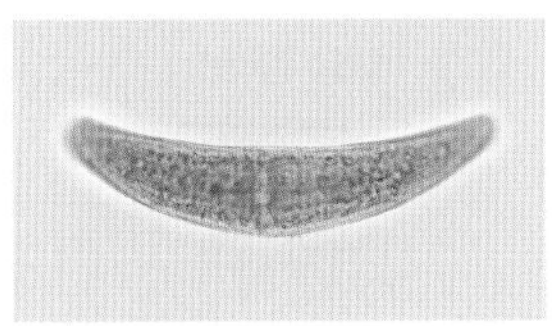
▲ 반달말

6 해캄 표본은 해캄을 실체 현미경으로 관찰하기 좋게 만든 것입니다. 해캄 표본을 만들 때는 해캄이 겹치지 않게 잘 펴서 한 가닥만 올리도록 합니다.

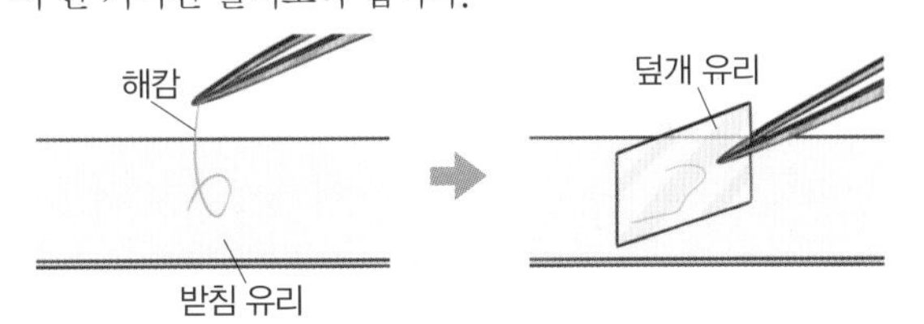

(내용 플러스)

해캄 표본을 만들 때 주의할 점

- 핀셋을 이용하여 해캄이 겹치지 않도록 받침 유리에 올려놓습니다.
- 일반 핀셋의 경우 끝이 넓어서 해캄 한 가닥을 잡기 어렵습니다. 해부용 핀셋이나 정밀용 핀셋을 사용하면 세밀한 작업을 하는 데 유리합니다. 단, 해부용 핀셋을 사용할 경우에는 끝이 뾰족하기 때문에 주의합니다.
- 덮개 유리나 받침 유리가 깨지지 않도록 주의합니다.
- 덮개 유리는 비스듬히 기울여 천천히 덮어야 공기 방울이 생기지 않습니다.

2 세균, 다양한 생물의 영향

92쪽

1 꼬리 **2** (1) ○ **3** ㉢

1 콜레라균은 꼬리가 달려 있고, 이를 이용하여 이동합니다. 헬리코박터 파일로리는 꼬리가 여러 개 있습니다.

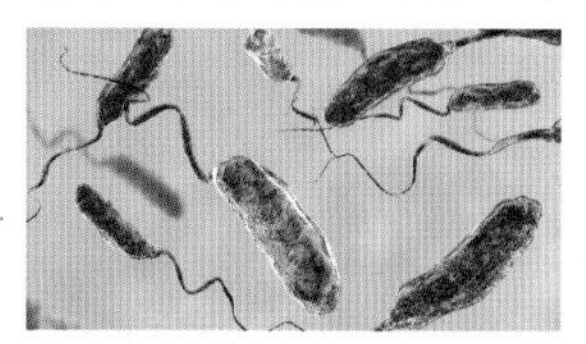

▲ 콜레라균

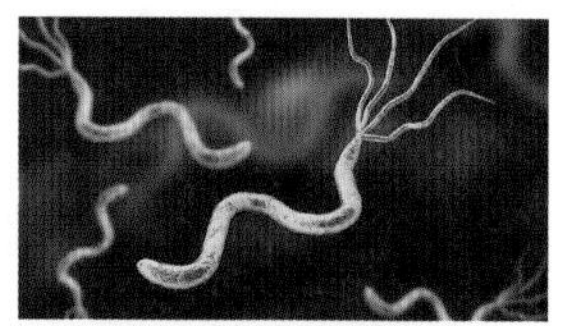

▲ 헬리코박터 파일로리

2 세균이 사는 곳은 공기, 물, 사람의 피부, 몸속 등으로 우리 주변 어디에서나 살고 있다는 것을 알 수 있습니다.

(내용 플러스)

다양한 세균이 사는 곳

세균(이름)	사는 곳	세균(이름)	사는 곳
콜레라균	공기, 물	헬리코박터 파일로리	위
대장균	물, 큰창자	스트렙토코쿠스 무탄스	치아
포도상 구균	공기, 음식물, 피부	살모넬라균	음식물, 큰창자

3 포도상 구균은 둥근 모양이고, 여러 개가 연결되어 있습니다. ㉠은 나선 모양의 세균이고, ㉡은 막대 모양의 세균입니다.

▲ 포도상 구균

93쪽

1 ①, ④ 2 별, 나팔 3 (4) ○
4 (1) ㉢, ㉣, ㉤ (2) ㉠, ㉡, ㉥ 5 희민
6 (1) 건강식품 (2) 생물 농약 (3) 하수 처리

1 세균은 살아 있는 생물입니다. 세균은 음식물을 상하게 만듭니다.

(내용 플러스)

다양한 세균의 공통점

- 세균은 하나의 세포이고, 크기가 매우 작아서 사람의 맨눈으로는 관찰할 수 없습니다.
- 세균의 모양은 다양합니다.
- 세균의 종류는 무수히 많고, 돌연변이도 많습니다.
- 세균은 번식 속도가 빠릅니다.

2 세균은 생김새에 따라 공 모양, 막대 모양, 나선 모양 등으로 구분합니다.

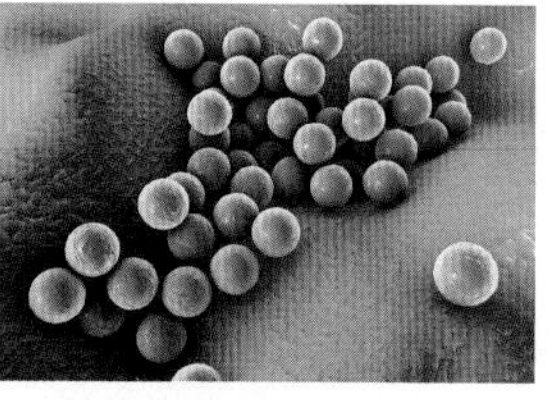

▲ 공 모양의 세균

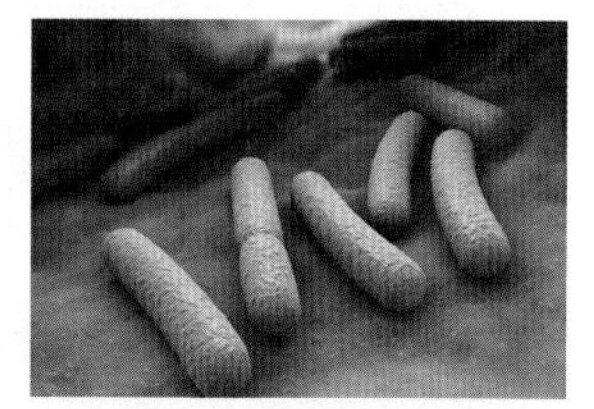

▲ 막대 모양의 세균

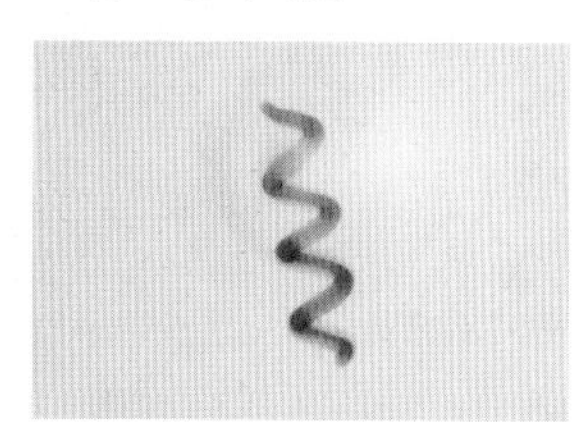

▲ 나선 모양의 세균

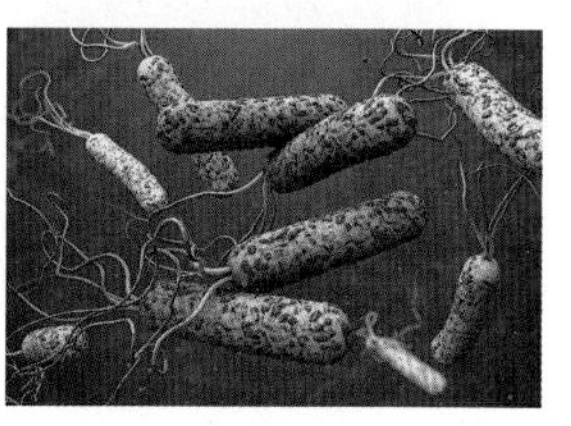

▲ 꼬리가 있는 세균

3 세균은 우리가 맨눈으로 볼 수 없지만 우리 주변에 있는 땅이나 물, 다른 생물의 몸, 컴퓨터 자판이나 연필 같은 물체 등 어디에서나 살 수 있습니다.

(내용 플러스)

생물이 살기 어려운 환경에서 사는 세균

메탄 생성 세균은 산소가 없는 습지나 늪 바닥의 진흙 속에서 서식하고 대사 과정에서 메탄가스를 방출합니다. 미대륙의 소금 호수나 중동의 사해, 염전과 같이 매우 염분이 높은 곳에서 사는 세균도 있고, 온천이나 간헐천 등과 같이 뜨거운 고온의 환경에서 서식하는 세균도 있습니다.

4 균류, 원생생물, 세균 등 다양한 생물은 우리 생활에 이로운 영향뿐만 아니라 해로운 영향도 줍니다.

이로운 영향을 주는 생물	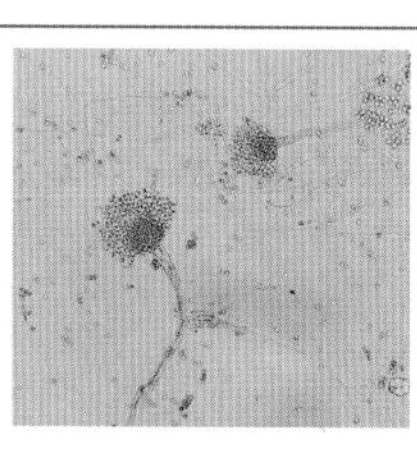 ▲ 된장을 만드는 균류	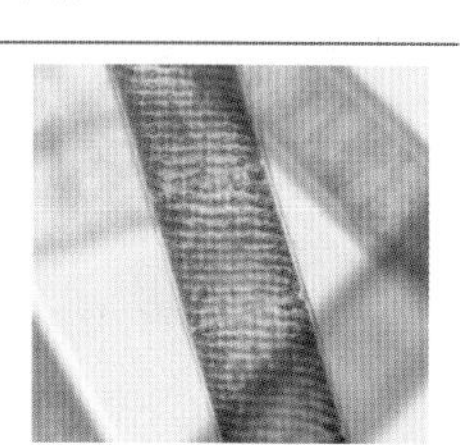 ▲ 산소를 만드는 원생생물
해로운 영향을 주는 생물	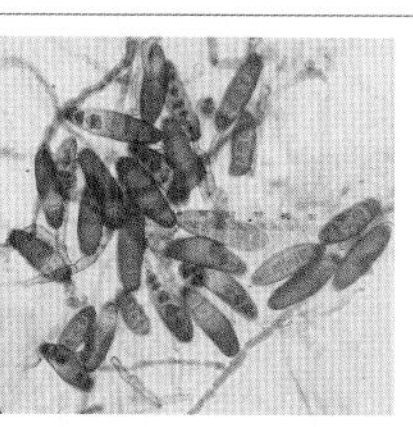 ▲ 식물에게 병을 일으키는 균류	▲ 적조를 일으키는 원생생물

5 첨단 생명 과학은 최신의 생명 과학 기술이나 연구 결과를 활용하여 우리 생활의 여러 가지 문제를 해결하는 것입니

다. 동물, 식물뿐만 아니라 균류, 원생생물, 세균 등 다양한 생물이 첨단 생명 과학에 활용됩니다.

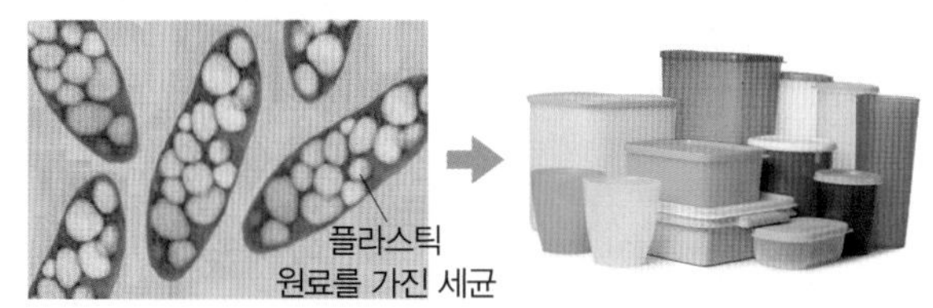

▲ 플라스틱의 원료를 가진 세균으로 플라스틱 제품을 생산한다.

6 첨단 생명 과학은 생명 과학 기술이나 연구 결과를 활용하여 일상생활의 다양한 문제를 해결하는 데 도움을 줍니다.

(내용 플러스)

첨단 생명 과학이 우리 생활에 활용되는 예

- 번식이 빠른 세균의 특징을 이용해 약을 대량으로 빠르게 생산합니다.
- 스키장에서 인공 눈을 만드는 데 세균을 활용합니다.
- 원생생물의 일부 물질을 자동차의 연료나 전기를 만드는 데 사용합니다.
- 오염된 물질을 분해하는 다양한 생물을 이용하여 환경을 오염하지 않는 세제를 개발합니다.

단원 평가

94~97쪽

1 ㉠, ㉣ **2** ㉠ 배율 ㉡ 재물대 **3** 예 곰팡이에 최대한 가깝게 내립니다. **4** 병호
5 포자 **6** ㉠, ㉣, ㉢, ㉡ **7** (1) ㉡ (2) ㉣
8 (1) ㉠, ㉡ (2) ㉢, ㉣, ㉤, ㉥ **9** 예 주로 논, 연못과 같이 물이 고인 곳이나 도랑, 하천과 같이 물살이 느린 곳에서 삽니다. **10** ⑤ **11** 혜주 **12** ㉡
13 예 우리 주변에 있는 땅이나 물, 다른 생물의 몸, 컴퓨터 자판이나 연필 같은 물체 등 어디에서나 살고 있습니다.
14 (1) ㉡ (2) ㉠, ㉣ (3) ㉢ **15** (1) 예 죽은 생물이나 배설물을 작게 분해하여 자연으로 되돌려 보냅니다. 김치, 요구르트 등의 음식을 만드는 데 도움을 줍니다. (2) 예 다른 생물에게 여러 가지 질병을 일으킵니다. 음식을 상하게 합니다.
16 (1) × (2) ○ (3) ○ (4) × (5) × **17** 생명 과학
18 ② **19** (1) ㉣ (2) ㉡ (3) ㉠ (4) ㉢
20 (3) ○

1 버섯과 곰팡이는 따뜻하고 축축한 환경에서 잘 자라고 여름철에 많이 볼 수 있는 균류입니다.

(내용 플러스)

버섯과 곰팡이의 공통점과 차이점

공통점	• 몸 전체가 실과 같은 균사로 이루어져 있다. • 균사는 눈에 보이는 곳뿐만 아니라 다른 생물이나 물체 전체로 퍼져 있다. • 생김새와 생활 방식이 식물과 다르다. • 직접 영양분을 만들지 못하고, 다른 생물이나 사체, 음식 등에서 영양분을 얻는다.
차이점	• 곰팡이의 포자는 돋보기 등으로 관찰되지만, 버섯의 포자는 갓에 들어 있기 때문에 관찰하기 어렵다. • 버섯은 곰팡이에 비해 크기가 크고, 곰팡이는 버섯에서 자라기도 한다.

2 대물렌즈의 배율을 가장 낮게 하였다가 높이면서 물체를 관찰합니다. 관찰 대상을 올려놓는 곳은 재물대입니다.

(내용 플러스)

실체 현미경 각 부분의 이름

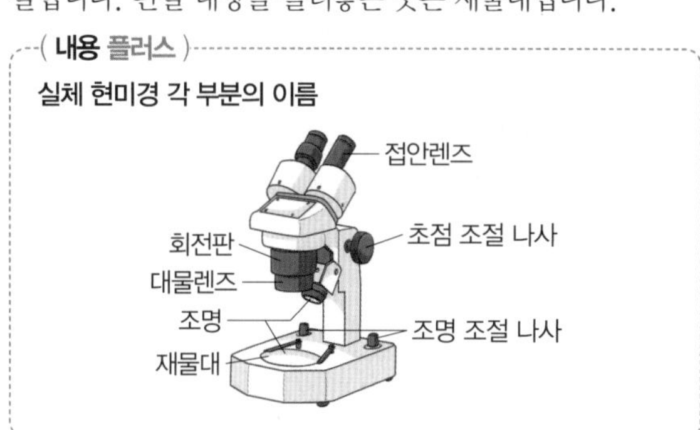

3 곰팡이를 실체 현미경으로 관찰할 때는 대물렌즈의 배율을 가장 낮게 하고, 곰팡이를 재물대 위에 올린 뒤 조명 조절 나사로 빛의 양을 조절합니다. 현미경을 옆에서 보면서 초점 조절 나사로 대물렌즈를 곰팡이에 최대한 가깝게 내린 뒤, 접안렌즈로 곰팡이를 보면서 대물렌즈를 천천히 올려 초점을 맞춥니다.

채점 TIP 곰팡이에 가깝게 내린다고 쓰면 정답으로 합니다.

4 식물은 뿌리, 줄기, 잎 등이 있지만, 균류는 줄기, 잎과 같은 모양이 없습니다.

(내용 플러스)

균류와 식물의 공통점과 차이점

구분	균류	식물
공통점	• 생물이며 모두 자라고 번식한다. • 살아가는 데 물과 공기 등이 필요하다.	
차이점	• 보통의 식물보다 작은 편이다. • 전체가 균사로 이루어져 있고 주로 포자로 번식한다. • 죽은 생물, 다른 생물, 물체 등에 붙어서 산다.	• 균류에 비해 큰 편이다. • 주로 꽃이 피고 씨로 번식한다. • 주로 땅에 뿌리를 내리고 산다.

5 곰팡이와 버섯 같은 균류는 보통 거미줄처럼 가늘고 긴 모양의 균사로 이루어져 있고 포자로 번식합니다.

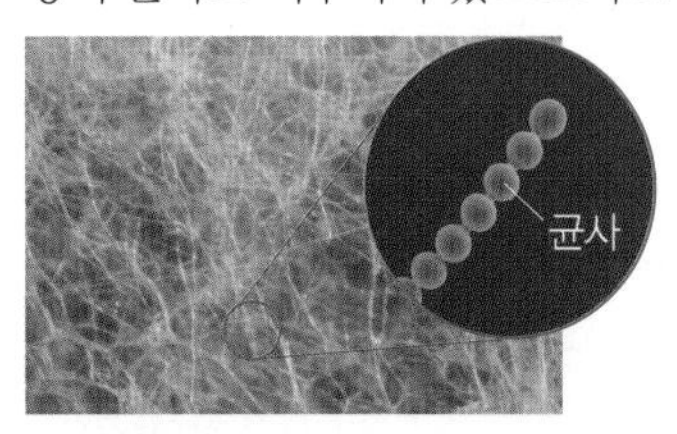

▲ 균사체와 균사

▲ 버섯의 포자

(내용 플러스)

곰팡이와 버섯은 생물일까?

생물입니다. 동물이나 식물과 다른 생김새를 하고 있지만 자라고 번식하기 때문입니다.

6 표본을 만든 뒤 표본을 재물대 위에 올려놓고 대물렌즈를 조절하고 접안렌즈로 표본을 관찰합니다.

7 짚신벌레가 색깔을 띠는 까닭은 표본을 염색했기 때문입니다.

(내용 플러스)

짚신벌레와 해캄의 공통점

- 광학 현미경을 사용해야 자세히 볼 수 있습니다.
- 안쪽에 작은 모양들이 보입니다.
- 식물과 동물에 비해 단순한 모양입니다.
- 식물, 동물, 균류와 생김새가 다릅니다.

8 짚신벌레는 짚신과 모양이 비슷하며 길쭉한 모양이고 바깥쪽에 가는 털이 있습니다. 짚신벌레 안쪽에는 여러 가지 다른 모양이 보입니다. 해캄은 대나무와 같이 마디로 나누어져 있고, 여러 개의 가는 선이 보이며, 초록색 알갱이가 있습니다.

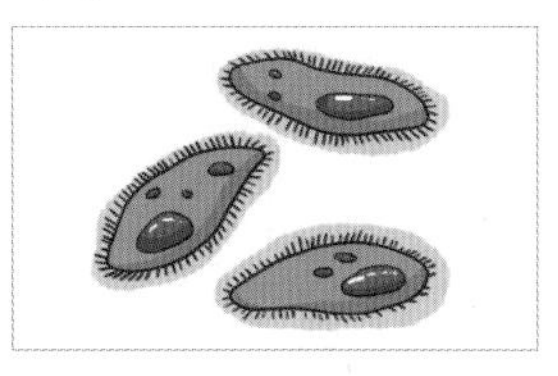
▲ 짚신벌레

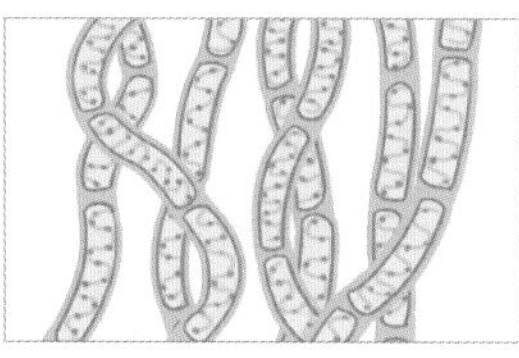
▲ 해캄

9 짚신벌레와 해캄은 물속에서 살고 짧은 시간 안에 많은 수로 늘어납니다. 물이 고인 곳이나 물살이 느린 도랑, 하천 등에는 짚신벌레, 해캄 외에도 다양한 원생생물이 살고 있습니다.

채점 TIP 물이 고인 곳이나 물살이 느린 도랑, 하천에서 산다고 쓰면 정답으로 합니다.

10 원생생물은 생김새가 단순하고 동물, 식물, 균류로 분류되지 않습니다.

(내용 플러스)

다양한 원생생물의 특징

- 유글레나의 몸속은 해캄과 같이 초록색의 알갱이들이 가득 차 있고 단순한 모양을 하고 있습니다.
- 유글레나는 짚신벌레와 같은 짧은 털은 없지만 긴 꼬리가 달려 있는 것이 특징입니다.
- 아메바는 일정한 모양이 없고 몸 안에는 여러 다른 소기관들이 보이지만 단순한 모양입니다.
- 종벌레는 종 모양으로 단순합니다.
- 유글레나, 아메바, 종벌레, 짚신벌레 모두 동물이나 식물과 다른 생김새를 하고 있고 생김새가 단순하다는 공통점이 있습니다.

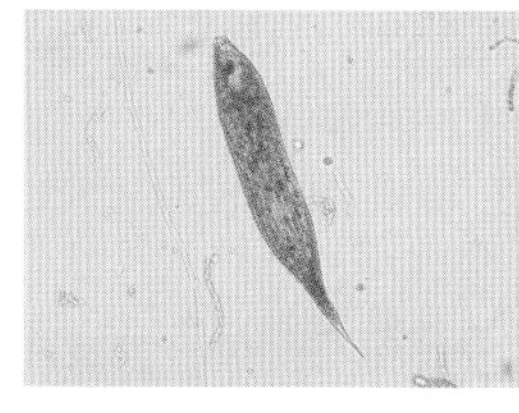
▲ 유글레나

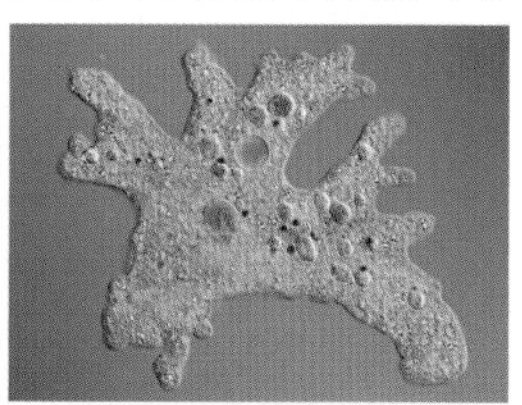
▲ 아메바

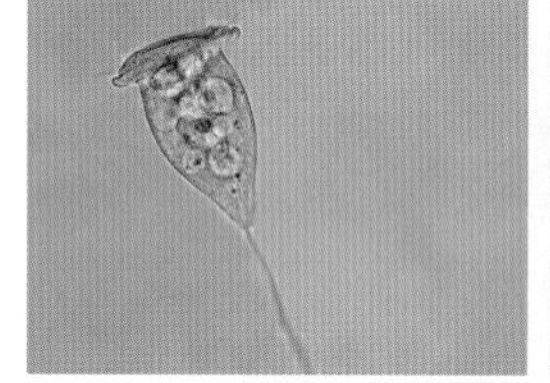
▲ 종벌레

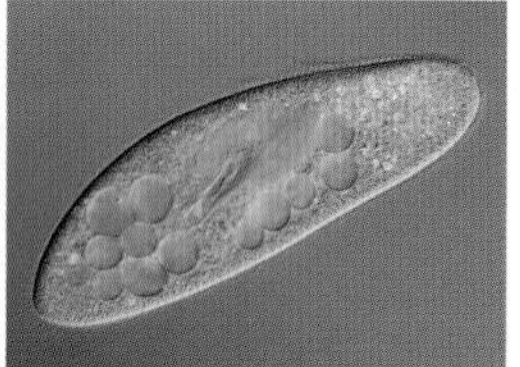
▲ 짚신벌레

11 세균은 균류나 원생생물보다 크기가 더 작고 생김새가 단순한 생물입니다.

(내용 플러스)

세균은 생물일까?

세균은 크기가 매우 작지만 주변에서 영양분을 얻고, 자라며 번식하는 등의 생명 현상을 하기 때문에 생물입니다.

12 세균은 살기에 알맞은 조건이 되면 짧은 시간 안에 많은 수로 늘어납니다.

13 세균은 다른 생물의 몸, 공기, 물, 흙 등 다양한 곳에서 살고 있습니다.

(내용 플러스)

입안에 사는 세균

충치가 생기는 까닭은 세균이 치아 표면을 썩게 하기 때문입니다. 입안에 사는 세균은 스트렙토코쿠스 무탄스로, 연쇄상구균입니다. 입안에 세균이 살지 않도록 양치질을 해야 합니다.

채점 TIP 세균의 공통점을 사는 곳과 관련지어 옳게 쓰면 정답으로 합니다.

14 ㉠ 콜레라균은 막대 모양으로 구부러져 있습니다. ㉡ 포도상 구균은 둥근 모양이고 여러 개가 연결되어 있습니다. ㉢ 헬리코박터 파일로리는 나선 모양이고 꼬리가 있습니다. ㉣ 대장균은 막대 모양입니다.

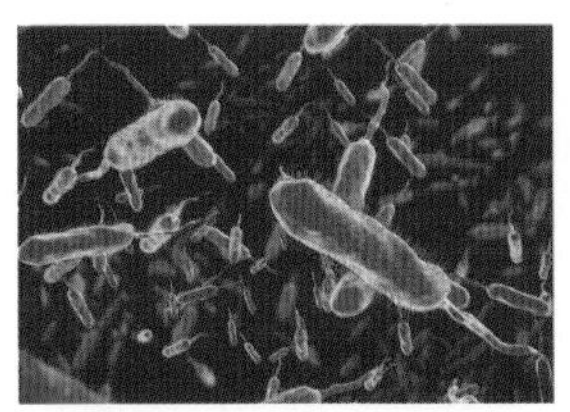

▲ 콜레라균

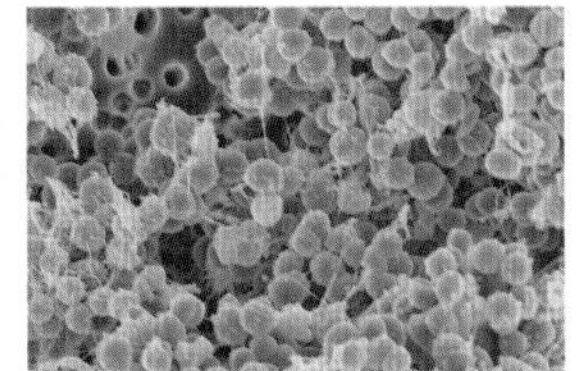

▲ 포도상 구균

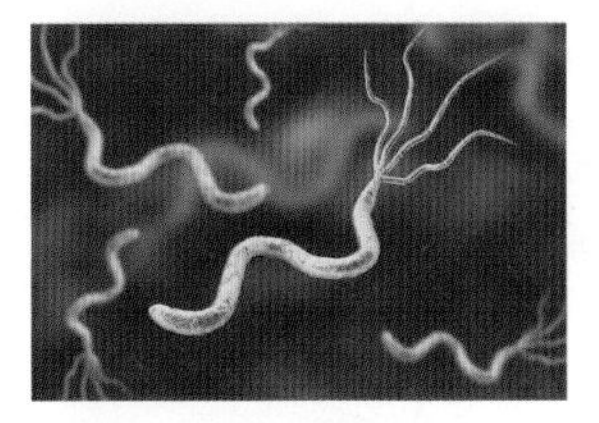

▲ 헬리코박터 파일로리

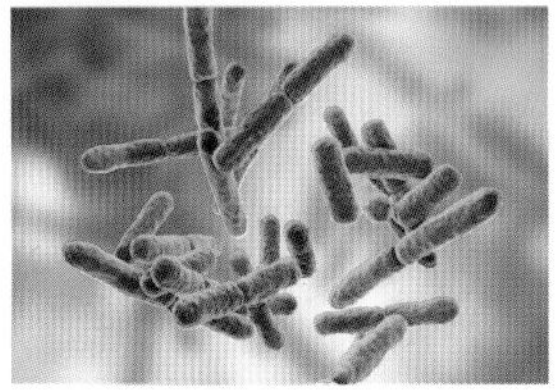

▲ 대장균

15 이로운 영향으로 해로운 세균으로부터 건강을 지켜 주기도 합니다. 해로운 영향으로 가구 같은 물건을 못 쓰게 만들기도 합니다.

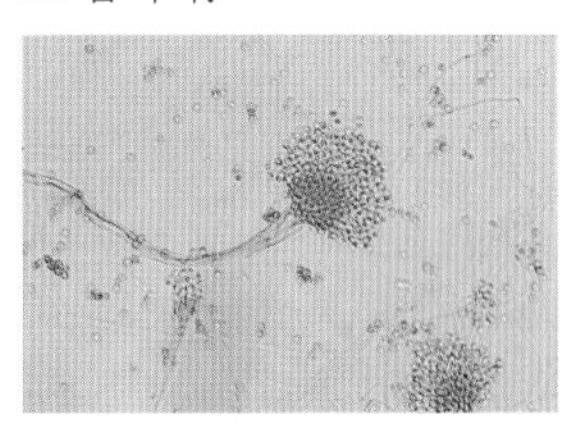

▲ 누룩곰팡이는 된장을 만드는 데 도움을 준다.

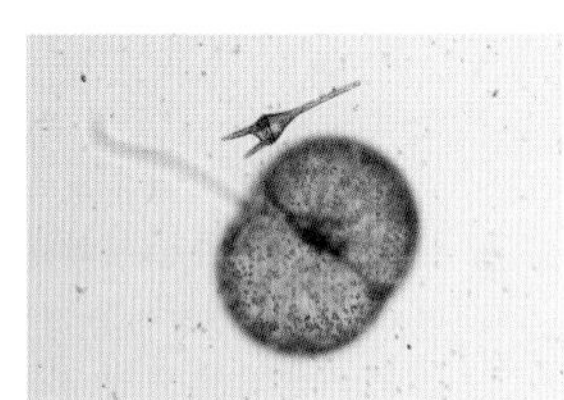

▲ 일부 원생생물은 적조를 일으킨다.

채점 TIP 이로운 영향과 해로운 영향을 각각 두 가지씩 옳게 쓰면 정답으로 합니다.

16 곰팡이나 세균이 사라진다면 음식이나 물건 등이 상하지 않습니다. 그러면 우리 주변이 죽은 생물이나 배설물로 가득 차게 됩니다. 김치, 요구르트, 된장 등의 음식을 만들 수 없고, 사람이나 동물은 먹은 음식을 잘 소화하지 못하게 되거나 면역력이 약해집니다.

17 첨단 생명 과학은 최신의 생명 과학 기술이나 연구 결과를 활용하여 우리 생활의 여러 가지 문제를 해결하는 것을 말합니다.

18 치즈를 이용해 여러 가지 음식을 만드는 것은 음식 조리 과정이므로 첨단 생명 과학이라고 할 수 없습니다.

(**내용 플러스**)

우리 생활에서 첨단 생명 과학을 활용한 예

- 독감을 예방하려고 예방 주사를 맞습니다.
- 질병을 치료할 수 있는 약을 개발합니다.
- 건강 보조 식품이나 우주 식량을 개발합니다.
- 식물에서 자동차 연료를 추출하여 화석 연료를 대체합니다.

19 다양한 생물을 우리 생활에 이롭게 활용할 수 있습니다. 영양소가 풍부한 클로렐라를 활용하여 건강식품을 만듭니다. 오염 물질을 분해하는 세균을 활용하여 하수 처리를 합니다. 해충에게만 질병을 일으키는 세균을 활용하여 생물 농약을 만듭니다. 세균을 자라지 못하게 하는 푸른곰팡이를 활용하여 질병을 치료합니다.

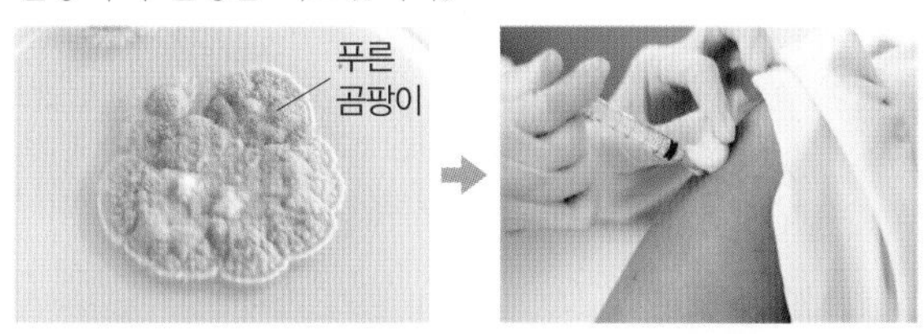

▲ 세균을 자라지 못하게 하는 균류로 질병을 치료한다.

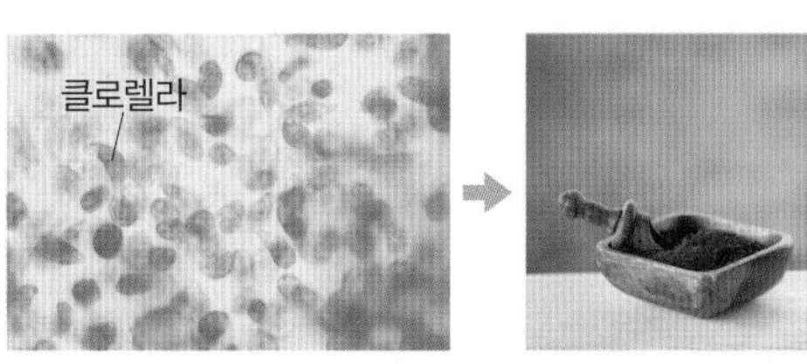

▲ 영양소가 풍부한 원생생물로 건강식품을 생산한다.

20 물질을 분해하는 원생생물을 활용하면 환경을 오염시키지 않는 방법으로 음식물 쓰레기를 처리할 수 있습니다.

98~99쪽

1 (1) 예 가는 실 같은 것이 많고 크기가 작고 둥근 알갱이가 많이 보입니다. (2) 예 버섯 윗부분의 안쪽에 주름이 많고 깊게 파여 있습니다. **2** 예 따뜻하고 축축한 환경에서 잘 자랍니다. **3** (1) 40 (2) 예 접안렌즈는 눈으로 보는 렌즈이고, 대물렌즈는 물체와 서로 마주보는 렌즈로, 두 렌즈 모두 상을 확대해 줍니다. **4** 예 주로 논, 연못과 같은 물이 고인 곳이나 물살이 느린 곳에서 삽니다. 식물과 동물에 비해 단순한 모양입니다. **5** 예 배율이 높은 현미경을 사용해 주변의 물체나 생물의 몸을 관찰하면 세균을 관찰할 수 있습니다. **6** 아니야, 예 해로운 세균으로부터 우리의 건강을 지켜 주는 유산균과 같이 이로운 세균도 있기 때문입니다. **7** 예 최신의 생명 과학 기술이나 연구 결과를 활용하여 일상생활의 다양한 문제를 해결하는 것입니다. **8** 예 ㉠은 질병을 치료하는 데 활용되고, ㉡은 건강식품을 만드는 데 활용됩니다.

1 곰팡이는 가는 실 같은 것이 거미줄처럼 서로 엉켜 있습니다. 버섯은 보통 식물에 있는 줄기와 잎 같은 모양이 없습니다.

(내용 플러스)

곰팡이와 버섯을 관찰할 때 주의할 점

- 곰팡이를 관찰할 때는 마스크와 실험용 장갑을 착용하고, 안전상 직접 냄새를 맡거나 만지지 않도록 주의합니다. 그리고 관찰 후에는 손을 깨끗이 씻습니다.
- 버섯을 관찰할 때는 시각, 후각, 촉각 등 오감을 이용해 관찰합니다.

채점 기준

상	곰팡이와 버섯의 생김새를 모두 옳게 쓴 경우
중	곰팡이와 버섯의 생김새 중 한 가지만 옳게 쓴 경우

2 곰팡이는 주로 여름철에 많이 볼 수 있습니다. 그리고 주로 죽은 생물이나 다른 생물에서 양분을 얻습니다.

채점 기준

상	따뜻하고 축축한 환경이라고 옳게 쓴 경우
중	축축한 곳이라고만 쓴 경우
하	여름철이라고만 쓴 경우

3 (1) 현미경의 배율은 현미경으로 물체의 모습을 확대하는 정도를 말하며, 접안렌즈 배율×대물렌즈 배율입니다.
(2) 접안렌즈에 눈을 대고 관찰 대상을 보면서 대물렌즈를 조절하며 관찰합니다.

채점 기준

상	40을 쓰고, 접안렌즈와 대물렌즈의 역할을 모두 옳게 쓴 경우
중	40을 쓰고, 접안렌즈와 대물렌즈의 역할 중 한 가지만 옳게 쓴 경우

4 식물과 동물에 비해 단순한 모양이라는 점과 식물, 동물, 균류와 생김새가 다르다는 점도 공통점입니다.

(내용 플러스)

원생생물

- 짚신벌레, 해캄과 같이 동물이나 식물, 균류로 분류되지 않으며 단순한 생물을 원생생물이라고 합니다.
- 짚신벌레, 해캄과 같이 연못이나 물살이 느린 하천에 사는 것도 있고, 홍조류, 녹조류, 갈조류와 같이 바다에 사는 것도 있습니다.
- 원생생물은 대부분 단세포 생물로 크기가 작지만, 해조류와 같이 크기가 크고 다세포성인 생물도 있습니다.

▲ 녹조류가 호수를 덮은 모습

채점 기준

상	생김새와 관련하여 공통점 두 가지를 모두 옳게 쓴 경우
중	생김새와 관련하여 공통점을 한 가지만 옳게 쓴 경우

5 세균은 우리 주변에 있는 땅이나 물, 다른 생물의 몸, 컴퓨터 자판 등 어디에서나 살 수 있습니다. 세균은 매우 작아서 맨눈으로 볼 수 없고, 배율이 높은 현미경을 사용해야 관찰할 수 있습니다.

채점 기준

상	세균을 관찰할 수 있는 방법으로 현미경 사용과 세균이 사는 곳을 모두 들어 옳게 쓴 경우
중	세균을 관찰할 수 있는 방법을 썼으나 미흡한 경우

6 균류와 세균은 된장, 치즈, 김치 등의 음식을 만드는 데 이용되고, 죽은 생물을 분해하여 지구의 환경을 유지하는 데 도움을 주는 등 이로운 영향을 줍니다.

▲ 치즈

▲ 김치

(내용 플러스)

다양한 생물이 우리 생활에 미치는 이로운 영향

- 음식으로 활용되는 균류와 원생생물: 버섯과 해조류는 대부분 사람이 먹는 음식의 주요 식재료로 사용됩니다. 클로렐라나 스피룰리나와 같은 원생생물은 고영양 식품으로 활용되고 있습니다.
- 생태 복원: 기름 유출, 방사능 오염 등으로 오염된 토양을 복원하는 데 세균을 이용합니다. 세균이 정화한 토양에는 생물이 살 수 있게 됩니다.
- 음식을 만드는 데 활용되는 균류와 세균: 균류 중 효모는 곡식이나 과일을 발효시키고 빵이나 술을 만들 때 사용됩니다. 고초균과 누룩곰팡이는 메주를 띄우고 된장이나 간장을 만드는 데 활용되고, 치즈를 만드는 데에는 유산균이 활용됩니다.

채점 기준

상	'아니야'를 고르고, 까닭을 옳게 쓴 경우
중	'아니야'를 고르고, 까닭을 미흡하게 쓴 경우
하	'아니야'만 고른 경우

7 첨단 생명 과학은 생명 과학 기술이나 연구 결과를 활용하여 일상생활의 다양한 문제를 해결하는 데 도움을 줍니다.

채점 기준

상	세 가지 낱말을 모두 포함하여 옳게 쓴 경우
중	두 가지 낱말만 포함하여 옳게 쓴 경우

8 첨단 생명 과학은 생명 과학 기술이나 연구 결과를 활용하여 일상생활의 다양한 문제를 해결하는 데 도움을 줍니다.

채점 기준

상	우리 생활에 활용되는 예를 ㉠, ㉡과 관련지어 모두 옳게 쓴 경우
중	우리 생활에 활용되는 예를 ㉠, ㉡ 중 한 가지와 관련지어서만 옳게 쓴 경우

1 재미있는 나의 탐구

1 자유 탐구

12쪽

1 ㉠ 탐구 문제를 해결할 수 없습니다. 모래시계로 측정한 시간이 1분보다 짧기 때문입니다. 페트병에 넣는 모래의 양을 늘려야 합니다.

2 240g, ㉠ 모래의 양이 40g일 때 10초를 측정할 수 있었으므로, 1분(60초)을 측정하려면 240g(40g×6=240g)의 모래가 필요하기 때문입니다.

1 실제 탐구 계획을 세우고 탐구를 실행하는 단계에서는 '탐구 계획 세우기'에서 정한 모래시계의 측정 시간에 영향을 주는 조건의 범위 내에서 해결 방법을 생각해 볼 수 있습니다. 여기에서는 실험과 관련하여 모래시계로 측정하는 시간이 1분이 될 수 있는 방법을 옳게 쓰면 정답으로 합니다.

내용 플러스

탐구 계획에 따라 작품을 만들어 만든 작품이 탐구 문제를 해결할 수 있는지 확인합니다. 문제점을 발견했을 때는 개선 방법을 찾아서 다시 작품을 만들어야 합니다.

2 실제 탐구에서는 1분을 측정하는 데 필요한 모래의 양을 실험을 통해 예상할 수도 있습니다. 예를 들어, 모래시계의 페트병에 넣는 모래의 무게가 40g, 80g, 120g, 160g일 때 모래가 떨어지는 데 걸린 시간을 각각 측정한 뒤, 실험 결과를 바탕으로 1분을 측정하려면 모래가 얼마나 필요한지 예상해 볼 수 있습니다.

확인 문제 13쪽

1 만들기 **2** (3) ○ **3** 하영 **4** 크게
5 ㉡, ㉢, ㉣ **6** ㉣

1 한 가지 탐구를 수행할 때에도 만들기, 실험, 기르기, 탐사·탐방 중 한 가지만 사용하는 것이 아니라 여러 가지 유형이 섞여 있기 때문에 '중심'이라는 표현을 씁니다.

내용 플러스

만들기 중심 탐구는 과학 원리나 개념을 설명하거나 과학 지식이 응용된 생활용품 및 장난감 등을 만들어 보는 탐구입니다. 실험 중심 탐구는 문제 설정, 가설 검증, 변인 통제, 자료 수집 및 해석에서 결론을 도출하여 과학 지식을 형성하거나 검증하는 탐구입니다.
기르기 중심 탐구는 식물이나 동물을 직접 재배하거나 사육하면서 관찰 또는 실험하는 방법으로 탐구 문제를 해결하는 탐구입니다. 탐사·탐방 중심 탐구는 탐구 대상을 자연 속에서 찾거나 과학 전문가 또는 과학이 이루어지는 현장을 찾아가 탐구 문제를 해결하는 탐구입니다. 자유 탐구를 하려고 할 때 만들기 중심 탐구, 실험 중심 탐구, 기르기 중심 탐구, 탐사·탐방 중심 탐구 중에서 자유롭게 탐구 문제를 정할 수 있습니다.

2 탐구 문제를 정할 때는 먼저 생활용품의 작동 원리를 알아봅니다. 주변에서 여러 가지 생활용품이 작동하는 모습을 관찰하고, 생활용품이 작동하는 원리를 책이나 인터넷에서 찾아봅니다.

3 탐구 계획은 [탐구 문제 해결 방법 정하기] → [탐구 계획 세우기] → [탐구 계획 발표하기] 단계를 거쳐 세울 수 있습니다.

4 연결판의 구멍이 작아 모래가 떨어지지 않기 때문에 연결판의 구멍을 더 크게 만들어 모래가 잘 떨어지도록 해야 합니다.

5 발표 방법에는 시청각 설명, 포스터 발표, 전시회, 시연·시범, 손수 제작물(UCC) 등이 있습니다. 몸짓으로만 탐구 결과를 발표하기는 어렵습니다.

6 준호가 정수기를 통해 직접 확인하고 싶은 점이 간이 정수기를 만들어 흙탕물을 깨끗한 물로 바꾸는 것이므로 탐구 문제로 '흙탕물을 깨끗한 물로 바꿀 수 있는 정수기를 어떻게 만들 수 있을까?'를 정할 수 있습니다. 새로운 탐구 문제를 정할 때에는 우리 주변에 있는 생활용품을 관찰하고, 어떤 과학 원리가 숨어 있는지 알아본 뒤 알아본 것 가운데 직접 확인하고 싶은 과학 원리나 개선하고 싶은 기능 중 하나를 선택하여 탐구 문제로 정할 수 있습니다.

단원 평가 14쪽

1 ㉠ 자석을 이용한 장난감은 어떻게 만들 수 있을까?
2 ①, ② **3** ㉠, ㉡, ㉢, ㉣
4 ㉠ 페트병 하나에 모래 40g을 넣고, 과정 ①에서 만든 연결판을 병 입구에 붙입니다.
5 ㉠ 개선 방법 ㉡ 만들기 **6** (3) ○

1 [탐구 문제 정하기] 단계에서는 생활용품의 작동 원리를 바탕으로 만들고 싶은 것을 선택하여 탐구 문제로 정합니다. 직접 확인하고 싶은 과학 원리가 자석의 성질을 이용해 장난감을 만들 수 있을지이므로 이를 바탕으로 '자석을 이용한 장난감은 어떻게 만들 수 있을까?'를 탐구 문제로 정할 수 있습니다.

채점 TIP 직접 확인하고 싶은 과학 원리 내용을 바탕으로 탐구 문제를 쓰면 정답으로 합니다.

내용 플러스

탐구 문제가 적절한지 확인하려면, '만들기의 목표와 내용이 분명하게 드러나 있나요?', '스스로 해결할 수 있는 문제인가요?', '만들기에 필요한 재료와 도구를 쉽게 구할 수 있나요?', '간단한 조사로 답을 쉽게 찾을 수 있나요?' 등의 질문으로 점검해 보아야 합니다.

2 ① 모든 식물은 탐구 범위가 넓기 때문에 끝까지 탐구하기가 어려울 수 있습니다. 탐구 문제는 최대한 범위를 좁혀 구체화해야 합니다. ② 스스로 탐구할 수 없는 문제입니다. 스스로 탐구할 수 없다면 좋은 자유 탐구 문제라고 할 수 없습니다. 또 간단한 조사로 답을 찾을 수 있는 탐구 문제는 선택하지 않도록 합니다. 문제를 해결하는 데 필요한 도구와 재료를 주변에서 손쉽게 구할 수 있고, 스스로 탐구할 수 있어야 합니다.

3 [탐구 계획 세우기] 단계에서는 만들려는 작품을 그림으로 나타내 보고, 탐구 기간과 장소, 준비물, 탐구 순서, 역할 분담, 주의할 점 등이 들어간 탐구 계획을 세웁니다.

내용 플러스

탐구 문제('1분을 측정하는 모래시계를 어떻게 만들 수 있을까?')에 대한 탐구 계획을 세울 때에는 주변에 있는 재료를 이용해 모래시계를 만들 수 있는 방법(예 페트병에 모래를 넣고, 모래가 모두 떨어지는 데 일정한 시간이 걸리는 것을 이용한 시계를 만든다.)을 찾고, 모래시계의 측정 시간에 영향을 주는 조건(예 페트병 안에 넣는 재료의 종류, 재료의 양, 연결부의 구멍 크기, 페트병의 기울기)이 무엇인지 생각해 봅니다. 이를 바탕으로 만들고 싶은 모래시계를 정해 그림으로 나타내 보고, 탐구 계획을 세웁니다. 이렇게 세운 탐구 계획이 탐구 문제를 해결하기에 적절한지 확인해 봅니다.

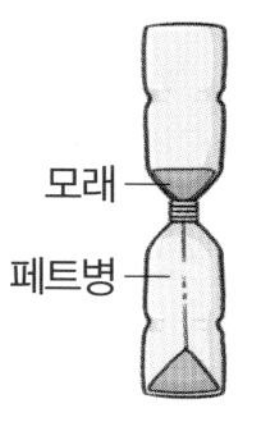

4 만들고 싶은 모래시계를 정해 나타낸 그림을 바탕으로 실험 과정에서 필요한 내용을 알 수 있습니다. 페트병에 모래 40g을 넣고 병 입구에 연결판을 붙이는 과정이 필요합니다.

채점 TIP 페트병 하나에 모래 40g을 넣고 병 입구에 연결판을 붙인다고 쓰면 정답으로 합니다.

모래시계 만들기 탐구 계획은 다음과 같이 세울 수 있습니다. 예

탐구 기간	○월 ○○일	탐구 장소	교실
준비물	두꺼운 종이, 가위, 구멍뚫이(펀치), 페트병 두 개, 모래, 전자저울, 흰 종이, 셀로판테이프, 초시계		
탐구 순서 (만드는 순서)	1. 두꺼운 종이를 페트병 입구 모양으로 자르고, 가운데 부분에 구멍을 뚫어 연결판을 만든다. 2. 페트병 하나에 모래 40g을 넣고 과정 1에서 만든 연결판을 병 입구에 붙인다. 3. 페트병 두 개를 마주 보게 한 다음, 셀로판테이프를 여러 번 감아 고정한다. 4. 완성된 모래시계로 시간을 측정해 본다.		
역할 분담	○○○, ◇◇◇, ◎◎◎, □□□: 모래시계 제작 ○○○: 시간 측정, ◇◇◇: 준비물 준비 ◎◎◎: 사진 촬영, □□□: 탐구 결과 기록		
주의할 점	가위와 구멍뚫이를 사용할 때는 손을 다치지 않도록 주의한다.		

5 [작품 점검하기] 단계에서 문제점을 발견했을 때는 [개선 방법 찾기] 단계를 거쳐 다시 [작품 만들기] 단계로 돌아갑니다. [개선 방법 찾기] 단계에서는 문제의 원인을 찾은 다음, 보완할 방법을 찾습니다.

6 모래를 체로 걸러서 알갱이의 크기를 일정하게 해야 합니다. '1분을 측정하는 모래시계를 어떻게 만들 수 있을까?'라는 탐구 문제를 해결하기 위해 모래시계를 만들고 개선하는 과정은 다음과 같습니다.

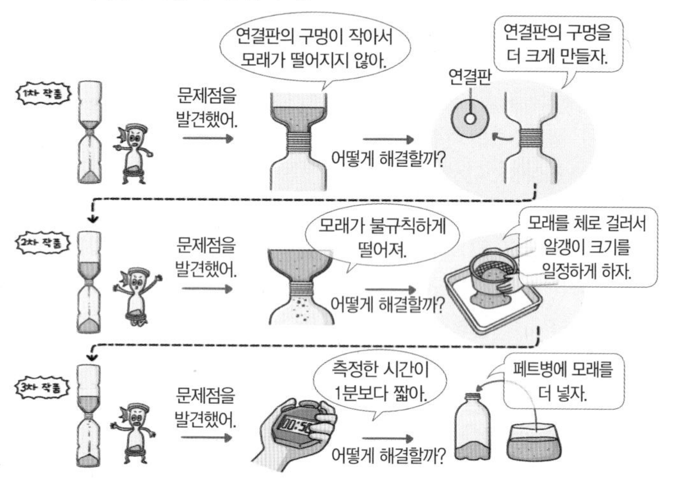

서술형 문제

15쪽

1 ㉠, ㉢, 예 ㉠은 탐구하고 싶은 내용이 분명하게 드러나지 않기 때문입니다. ㉢은 스스로 해결할 수 있는 문제가 아니기 때문입니다. **2** (1) 예 페트병에 모래를 넣고, 모래가 모두 떨어지는 데 일정한 시간이 걸리는 것을 이용한 시계를 만듭니다. (2) 예 페트병 안에 넣는 재료의 종류, 재료의 양 **3** 해결할 수 없습니다, 예 모래시계로 측정한 시간이 1분보다 길기 때문입니다. **4** (1) 예 30초를 측정하는 물시계를 만들고 싶습니다. (2) 예 30초를 측정하는 물시계를 어떻게 만들 수 있을까?

1 '만들기의 목표와 내용이 분명하게 드러나 있나요?', '스스로 해결할 수 있는 문제인가요?', '만들기에 필요한 재료와 도구를 쉽게 구할 수 있나요?', '간단한 조사로 답을 쉽게 찾을 수 있나요?' 등의 질문으로 탐구 문제가 적절한지 확인할 수 있습니다.

채점 기준

상	㉠, ㉢을 고르고, 그 까닭을 각각 옳게 쓴 경우
중	㉠, ㉢을 고르고, 그 까닭을 한 가지만 옳게 쓴 경우
하	㉠, ㉢을 고르기만 한 경우

2 (1) 플라스틱 통 안에 들어 있는 곡식(좁쌀, 쌀, 콩 등)이 모두 떨어지는 데 일정한 시간이 걸리는 것을 이용한 시계를 만드는 방법도 있습니다.
(2) 모래시계의 측정 시간에 영향을 주는 조건에는 연결부의 구멍 크기, 페트병의 기울기 등도 있습니다.

채점 기준

상	(1), (2)를 모두 옳게 쓴 경우
중	(1), (2) 중 한 가지만 옳게 쓴 경우

3 탐구 실행은 [작품 만들기] → [작품 점검하기] → [탐구 결과 정리하기] 단계로 할 수 있습니다. [작품 점검하기] 단계에서는 만든 작품이 탐구 문제를 해결할 수 있는지 확인합니다.

채점 기준

상	해결할 수 없다고 쓰고, 그 까닭을 옳게 쓴 경우
중	해결할 수 없다고 쓰고, 그 까닭을 미흡하게 쓴 경우
하	해결할 수 없다고만 쓴 경우

4 새로운 탐구를 할 때는 [주변 관찰하기] → [스스로 탐구하기] 단계를 거칩니다. [주변 관찰하기] 단계에서는 우리 주변에 있는 생활용품을 관찰하고, 어떤 과학 원리가 숨어 있는지 알아본 뒤 그 작동 원리를 바탕으로 직접 확인하고 싶거나 개선하고 싶은 것을 정하고, 그것에서 탐구 문제를 정할 수 있습니다.

채점 기준

상	(1), (2)를 모두 옳게 쓴 경우
중	(1)만 옳게 쓴 경우

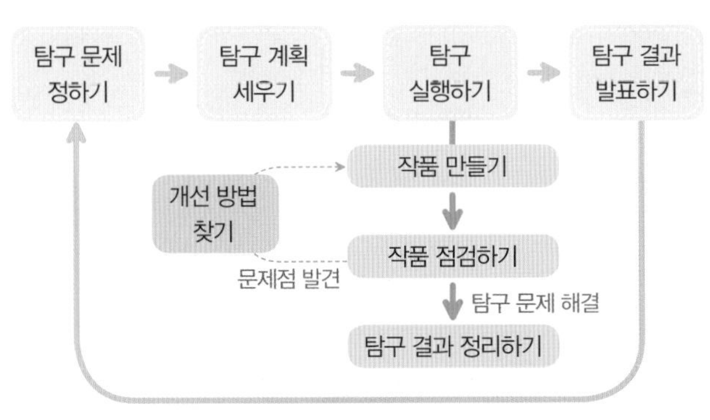

▲ 스스로 탐구하기

2 생물과 환경

1 생태계와 먹이 관계

20쪽

1 배추, 개망초, 느티나무　　2 참새, 개망초
3 예 다른 생물을 먹이로 하여 양분을 얻습니다.

1 배추, 개망초, 느티나무는 햇빛 등을 이용하여 양분을 스스로 만듭니다.

내용 플러스

배추밭 주변의 생물 요소

- 배추밭 주변에는 다양한 생물 요소가 삽니다. 배추, 느티나무, 개망초는 햇빛, 이산화 탄소, 물을 이용한 광합성을 통해 스스로 양분을 만들어 내는 생산자입니다.
- 배추흰나비 애벌레는 배춧잎 등 다른 생물을 먹이로 하여 양분을 얻는 소비자입니다. 배추흰나비 애벌레가 허물을 네 번 벗고 번데기 과정을 거치고 나면 배추흰나비가 됩니다. 배추흰나비는 입에 있는 대롱을 뻗어서 개망초의 꿀을 먹는 소비자입니다. 참새는 배추흰나비 애벌레, 배추흰나비 등 다른 생물을 먹이로 하여 양분을 얻는 소비자입니다.
- 곰팡이와 세균은 생물의 사체나 배출물을 분해하여 양분을 얻는 분해자입니다.

2 참새는 다른 생물을 먹이로 하여 양분을 얻습니다. 개망초는 햇빛 등을 이용하여 양분을 스스로 만듭니다.

3 배추흰나비 애벌레, 배추흰나비, 참새 등은 다른 생물을 먹어 양분을 얻습니다.

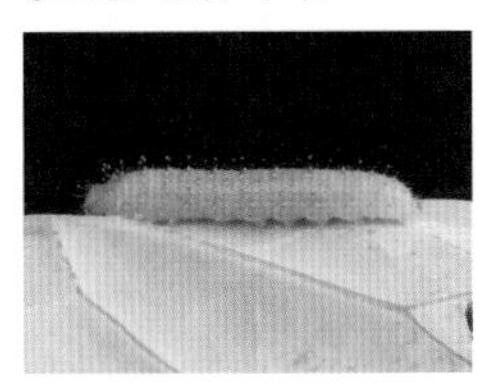
▲ 배추흰나비 애벌레

▲ 배추흰나비

확인 문제　　21쪽

1 ㉣　　2 (1) 예 연꽃, 개구리 (2) 예 온도, 햇빛
3 예 곰팡이　　4 ㉠ 한 ㉡ 여러
5 ㉠ 생태 피라미드 ㉡ 생태계 평형　　6 ③

1 생태계란 어떤 장소에서 서로 영향을 주고받는 생물 요소와 비생물 요소입니다. 생물 요소는 살아 있는 것이고, 비생물 요소는 살아 있지 않은 것입니다.

(내용 플러스)

생태계의 종류

지구에는 다양한 생태계가 있습니다. 화단 생태계, 연못 생태계, 숲 생태계, 바다 생태계, 사막 생태계, 호수 생태계, 강 생태계, 습지 생태계, 갯벌 생태계, 극지 생태계 등이 있습니다.

▲ 사막 ▲ 호수

▲ 강 ▲ 갯벌

2 토끼, 여우, 곰팡이, 뱀, 버섯, 참새, 쑥부쟁이 등도 생물 요소입니다.

공기, 흙 등도 비생물 요소입니다.

(내용 플러스)

생명의 특성

생물 요소와 비생물 요소를 구분하려면 생물에 대한 정의가 우선되어야 합니다. 지구상의 생물이 갖는 공통적인 특성은 다음과 같습니다.

- 세포: 모든 생물은 세포로 구성됩니다.
- 질서 정연한 배열: 모든 생물은 복잡하지만 배열 구조는 질서 정연합니다.
- 조절: 생물의 외부 환경은 극적으로 변화될 수 있지만, 생물은 그의 내부 환경을 조절할 수 있어 적절한 한계 범위 안에 있게 유지합니다.
- 성장과 발달: 모든 생물에서 유전자가 지닌 정보는 성장과 발달 유형을 통제합니다.
- 물질대사: 생물은 에너지를 얻고, 그것을 사용하여 모든 생명 활동을 수행합니다.
- 환경에 대한 반응: 모든 생물은 환경적 자극에 반응합니다.

3 분해자는 곰팡이, 세균과 같이 주로 죽은 생물이나 배출물을 분해하여 양분을 얻는 생물입니다.

▲ 곰팡이

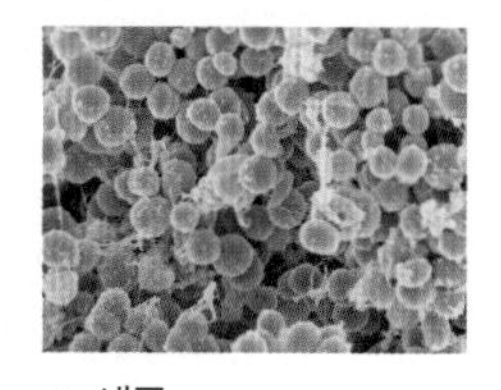

▲ 세균

4 먹이 사슬과 먹이 그물에서 공통적으로 생물들이 먹고 먹히는 관계가 나타납니다. 하지만 먹이 사슬은 한 방향으로만 연결되고, 먹이 그물은 여러 방향으로 연결된다는 차이점이 있습니다.

▲ 먹이 사슬은 생물들이 먹고 먹히는 관계가 한 방향으로만 연결된다.

▲ 먹이 그물은 생물들이 먹고 먹히는 관계가 여러 방향으로 연결된다.

(내용 플러스)

먹이 사슬과 먹이 그물 중 생태계에서 여러 생물들이 함께 살아가기에 유리한 먹이 관계는 어느 것일까?

먹이 그물의 형태가 유리합니다. 그 까닭은 먹이 그물은 생물의 먹고 먹히는 관계가 여러 방향이기 때문에 먹이를 다양하게 먹을 수 있기 때문입니다. 반면, 먹이 사슬에서는 먹을 수 있는 먹이가 하나밖에 없습니다. 그래서 만약 그 먹이가 사라진다면 그 먹이를 먹는 생물도 머지않아 사라지게 될 것이기 때문입니다.

5 생태 피라미드에서 먹이 단계별로 생산자, 1차 소비자, 2차 소비자, 최종 소비자가 있습니다. 특정 생물의 수나 양이 갑자기 늘어나거나 줄어들면 생태계 평형이 깨지기도 합니다.

▲ 생태 피라미드

6 생태 피라미드에서 1차 소비자인 메뚜기의 수가 갑자기 늘어나면 늘어난 메뚜기의 먹이가 되는 생산자의 수가 줄어듭니다. 메뚜기를 먹는 2차 소비자의 수는 먹이인 메뚜기의 증가로 늘어납니다. 2차 소비자가 늘어나면 2차 소비자를 먹는 최종 소비자의 수가 늘어나는 일시적인 변화가 생깁니다.

내용 플러스

생태 피라미드에서 2차 소비자의 수가 갑자기 줄어들었을 때 일시적으로 1차 소비자의 수는 늘어나고, 3차 소비자의 수는 줄어듭니다.

2 비생물 요소와 환경

24쪽

1 (가) 2 물

3 예 식물이 양분을 만들려면 햇빛이 필요합니다.

1 (가) 물을 준 것은 떡잎과 떡잎 아래 몸통이 초록색으로 변합니다. 떡잎 아래 몸통이 길고 굵어졌으며, 햇빛을 향하여 굽어 자라고, 초록색 본잎이 나옵니다. (나) 물을 주지 않은 것은 떡잎이 연한 초록색으로 변하고, 떡잎 아래 몸통이 가늘어지고 시듭니다. 햇빛이 잘 드는 곳에서 물을 준 콩나물이 잘 자랍니다.

▲ 물을 준 것

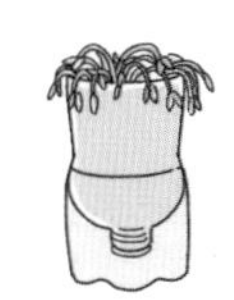
▲ 물을 주지 않은 것

2 비생물 요소가 식물의 자람에 미치는 영향을 알아보는 실험입니다. 둘 다 햇빛이 잘 드는 곳에 놓아두었기 때문에 햇빛의 영향은 해당 실험으로는 알 수 없습니다. 이 실험은 한쪽 콩나물에만 물을 주었기 때문에 비생물 요소 중 물이 콩나물의 자람에 미치는 영향을 알아보는 실험입니다.

내용 플러스

물이 콩나물의 자람에 미치는 영향을 알아보는 실험을 할 때 같게 해야 할 조건과 다르게 해야 할 조건

같게 해야 할 조건	자른 페트병의 크기, 콩나물의 양, 콩나물의 길이와 굵기, 콩나물이 받는 햇빛의 양 등
다르게 해야 할 조건	콩나물에 주는 물의 양

3 햇빛은 식물이 양분을 만들고 동물이 물체를 보는 데 필요합니다.

내용 플러스

햇빛이 생물에 미치는 영향

식물의 꽃눈이 형성되는 시기와 꽃이 피는 시기뿐만 아니라 동물의 번식 시기도 햇빛과 관련이 있습니다. 번식에 중요한 성호르몬의 분비와 난소의 기능이 햇볕이 내리쬐는 시간과 관련이 있기 때문입니다. 이에 따라 계절적으로 종다리와 제비는 봄과 여름에 번식을 하고, 양, 염소, 사슴은 가을과 겨울에 번식을 합니다. 점등 시간을 늘려 닭의 산란율을 높이는 것도 이러한 원리를 바탕으로 한 것입니다.

▲ 꽃눈

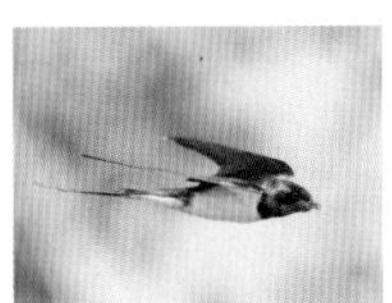
▲ 제비

25쪽

1 ③ 2 (가) 3 햇빛 4 영빈

5 (2) ○ 6 ③

1 추운 계절이 다가오면 개나 고양이는 털갈이를 하고, 철새는 먹이를 구하거나 새끼를 기르기에 적절한 장소를 찾아 먼 거리를 이동합니다. 온도의 영향으로 식물의 잎에 단풍이 들거나 낙엽이 집니다.

▲ 이동하는 철새

▲ 단풍이 든 나뭇잎

내용 플러스

단풍이 드는 까닭

하루 최저 기온이 5℃ 이하로 떨어지기 시작하면 단풍이 듭니다. 노란색 계열의 단풍은 기온이 떨어지면서 엽록소 합성이 중지되고 잎 속에 남아 있던 노란색 또는 주황색 색소가 드러납니다. 붉은색 단풍은 잎에서 엽록소의 분해와 함께 붉은색 색소가 생성되어 나타납니다.

2 콩나물을 햇빛이 잘 드는 곳에 두면 떡잎이 초록색으로 변합니다. 콩나물을 어둠상자로 덮어 햇빛을 차단하면 떡잎이 노란색입니다.

▲ 햇빛을 받은 것

▲ 햇빛을 차단한 것

3 다른 조건을 동일하게 한 뒤, 하나는 햇빛이 잘 드는 곳에 두고 다른 하나는 어둠상자로 덮어 햇빛을 차단했기 때문에 이 실험을 통해 햇빛이 콩나물의 자람에 미치는 영향을 알아볼 수 있습니다.

(내용 플러스)

햇빛이 콩나물의 자람에 미치는 영향을 알아보는 실험을 할 때 같게 해야 할 조건과 다르게 해야 할 조건

같게 해야 할 조건	자른 페트병의 크기, 콩나물의 양, 콩나물의 길이와 굵기, 물을 주는 양, 물을 주는 횟수 등
다르게 해야 할 조건	콩나물이 받는 햇빛의 양

4 생물은 각 서식지 환경에서 살아남기에 유리한 특징을 지녀야 자손을 남길 수 있습니다. 특정한 서식지에서 오랜 기간에 걸쳐 살아남기에 유리한 특징이 자손에게 전달되는 것을 적응이라고 합니다. 생물은 생김새와 생활 방식 등을 통하여 환경에 적응됩니다.

▲ 밤송이(생김새를 통한 적응)

▲ 공벌레(생활 방식를 통한 적응)

생물의 환경 적응에서 사용하는 '적응'이라는 용어는 사회에서 사용하는 '적응'과 다릅니다. 생물학적 '적응'은 생물이 스스로 노력하여 환경에 적응하는 것이 아니고, 수 세대에 걸쳐 주어진 환경에 더 적합한 행동을 하는 개체나, 환경에 더 적합한 형태를 가진 개체의 유전자가 자연적으로 다음 세대의 자손에게 전달된 것을 뜻합니다.

5 서식지 환경과 털 색깔이 비슷해야 적에게서 몸을 숨기거나 먹잇감에 접근하기 유리합니다.
(2)의 여우는 몸 전체가 하얀색 털로 덮여 있고 코와 눈 부분이 검은색입니다. 온몸에 털이 많이 나 있고 발에도 털이 나 있으며 귀는 작습니다. 이 여우는 온통 흰 눈으로 뒤덮여 있고 매운 추운 환경에서 잘 살아남을 수 있습니다.

6 환경 오염은 사람의 활동으로 자연환경이나 생활 환경이 더렵혀지거나 훼손되는 현상입니다. 환경 오염은 생물의 생활과 생존에 해로운 영향을 줍니다. 쓰레기나 폐수의 배출, 자동차나 공장의 매연, 기름 유출, 농약이나 비료의 지나친 사용 등은 환경 오염의 원인이 됩니다.

▲ 공장의 매연

▲ 쓰레기의 배출

단원 평가

26~29쪽

1 예 어떤 장소에서 서로 영향을 주고받는 생물 요소와 비생물 요소를 뜻합니다. **2** (1) ○ (2) × (3) ○ (4) ×
3 (1) ㉠, ㉣, ㉥ (2) ㉡, ㉢, ㉤ **4** ④ **5** 공벌레, 민들레
6 생산자 **7** ㉡ **8** ㉣ **9** 먹이 그물, 예 어느 한 종류의 먹이가 부족해지더라도 다른 먹이를 먹고 살 수 있기 때문입니다. **10** ㉢ **11** (3) ○
12 ㉠ **13** (1) ㉢ (2) ㉡ **14** 햇빛의 양
15 예 물이 없으면 식물이 말라 죽습니다. 흙은 식물이 살아가는 장소를 제공합니다. **16** ㉠ 서식지 ㉡ 적응
17 ㉢ **18** (1) (가) (2) (나) **19** ④, ⑤
20 호연

1 생물 요소는 동물과 식물처럼 살아 있는 것이고, 비생물 요소는 공기, 햇빛, 물, 흙, 온도처럼 살아 있지 않은 것입니다.
채점 TIP 장소, 생물, 비생물을 모두 포함하여 생태계를 옳게 설명하여 쓰면 정답으로 합니다.

2 지구에는 다양한 생태계가 있습니다. 비 오는 날의 운동장 웅덩이는 규모가 작은 생태계입니다.

(내용 플러스)

연못 생태계

염분이 거의 없고 물의 흐름이 비교적 약한 연못에서도 다양한 생물이 모여 생태계를 이룹니다. 햇빛, 물, 돌, 흙, 공기, 온도 등은 연못 생태계에 영향을 주는 중요한 비생물 요소입니다. 연못을 채운 물이 없다면 연못의 생물은 생존할 수 없습니다. 또한, 연못에 내리쬐는 햇빛을 이용하여 물에서 사는 식물이나 식물성 플랑크톤은 스스로 양분을 얻을 수 있습니다. 반면, 연못의 생물요소도 비생물 요소에 영향을 줍니다. 연못에 살고 있는 마름, 갈대와 같은 식물들은 물을 정화합니다.

3 생물 요소는 동물과 식물처럼 살아 있는 것이고, 비생물 요소는 공기, 햇빛, 물, 흙, 돌처럼 살아 있지 않은 것입니다.

▲ 개 ▲ 개미 ▲ 햇빛 ▲ 흙

4 양분을 얻는 방법에 따라 생물 요소를 생산자, 소비자, 분해자로 분류할 수 있습니다.

▲ 생산자

▲ 소비자

▲ 분해자(곰팡이)

5 배추와 같이 햇빛 등을 이용하여 살아가는 데 필요한 양분을 스스로 만드는 생물을 생산자라고 합니다. 배추흰나비와 같이 스스로 양분을 만들지 못하고 다른 생물을 먹이로 하여 살아가는 생물을 소비자라고 합니다. 곰팡이와 같이 주로 죽은 생물이나 배출물을 분해하여 양분을 얻는 생물을 분해자라고 합니다.

6 생산자는 스스로 양분을 만들고, 소비자는 다른 생물을 먹이로 하여 살아갑니다. 분해자는 주로 죽은 생물이나 배출물을 분해하여 양분을 얻습니다.

(내용 플러스)

생산자나 분해자가 없어진다면 생태계에는 어떤 일이 일어날까?

- 생산자인 식물이 사라진다면 식물을 먹는 소비자는 먹이가 사라지므로 결국 죽게 될 것입니다. 또 식물을 먹는 소비자를 먹이로 하는 소비자들도 죽게 될 것입니다. 결국 생태계에는 어떤 생물 요소도 살아남지 못할 것입니다.
- 분해자가 사라진다면 죽은 생물과 생물의 배출물이 분해되지 않아서 우리 주변이 죽은 생물과 생물의 배출물로 가득 차게 될 것입니다.

7 생태계에서 생물들이 먹고 먹히는 관계가 한 방향으로 사슬처럼 연결되어 있는 것을 먹이 사슬이라고 하고, 여러 개의 먹이 사슬이 얽혀 그물처럼 연결되어 있는 것을 먹이 그물이라고 합니다. 먹이 그물이 먹이 사슬보다 생태계에서 여러 생물들이 함께 살아가기에 유리한 먹이 관계입니다. 어느 한 종류의 먹이가 부족해지더라도 다른 먹이를 먹고 살 수 있기 때문입니다.

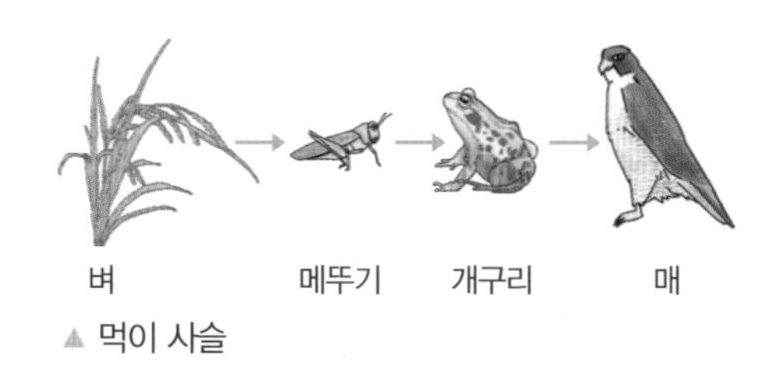

▲ 먹이 사슬

8 벼 → 메뚜기→ 개구리 → 뱀의 관계입니다.

9 먹이 사슬은 먹이 관계가 한 방향으로 연결되어 있고, 먹이 그물은 여러 개의 먹이 사슬이 얽혀 있습니다.

채점 TIP 먹이 그물을 쓰고, 까닭을 옳게 쓰면 정답으로 합니다.

10 생태계에서 생물들의 수는 먹이 단계가 올라갈수록 줄어듭니다. 그래서 먹이 단계별로 생물의 수를 쌓아올리면 피라미드 모양을 이룹니다. 이를 생태 피라미드라고 합니다.

(내용 플러스)

생태 피라미드에서 1차 소비자인 메뚜기의 수가 갑자기 늘어나면 생태계 구성 요소는 일시적으로 어떻게 변화할까?

늘어난 메뚜기의 먹이가 되는 생산자의 수가 줄어듭니다. 메뚜기를 먹는 2차 소비자의 수는 먹이인 메뚜기의 증가로 늘어납니다. 2차 소비자가 늘어나면 2차 소비자를 먹는 최종 소비자의 수도 늘어납니다.

▲ 생태 피라미드

11 (1) 깨진 생태계 평형을 다시 회복하려면 오랜 시간과 노력이 필요합니다.
(2) 생태계 평형이 깨지는 원인은 가뭄, 홍수와 같은 자연적인 요인뿐만 아니라 댐, 도로(다리), 건물 건설과 같은 인위적인 요인도 있습니다.

▲ 가뭄

▲ 홍수

▲ 댐 건설

▲ 다리 건설

12 생태계 평형이 깨져 비버의 먹이가 사라졌기 때문에 비버의 수도 줄어들게 됩니다.

(내용 플러스)

국립 공원에 늑대를 다시 풀어놓은 뒤

- 늑대는 사슴 등 동물을 사냥하기 시작했고, 사슴의 수는 조금씩 줄어들게 되었습니다. 또 사슴은 늑대를 피해 강가가 아닌 높은 지역에서 생활하여 강가의 식물도 다시 자라날 기회가 생겼습니다.

- 오랜 시간에 걸쳐 국립 공원의 생태계는 점점 평형을 되찾아 갔고 늑대와 사슴의 수는 적절하게 유지되었습니다. 또 강가의 풀과 나무도 다시 잘 자라게 되어 그 결과 비버의 수도 늘어나게 되었습니다.
- 만약 국립 공원에 늑대를 다시 풀어놓지 않았다면 비버의 수는 더 줄어들었을 것입니다. 늑대를 다시 풀어놓지 않았다면 사슴의 수가 줄지 않아 계속해서 강가의 풀과 나무를 먹어 치웠을 것입니다. 비버는 강가의 나무로 집을 만들고 나뭇가지 등을 먹는데 풀과 나무가 자라지 못하면 비버는 살기 어려울 것이기 때문입니다.

13 (1) 떡잎이 노란색인 것으로 햇빛을 받지 못한 조건에서 자랐다는 것을 알 수 있고, 떡잎 아래 몸통이 위로 길게 자랐다는 것으로 물을 준 조건에서 자랐다는 것을 알 수 있습니다.
(2) 떡잎이 연한 초록색인 것으로 햇빛을 받은 조건에서 자랐다는 것을 알 수 있고, 떡잎 아래 몸통이 가늘어지고 시들었다는 것으로 물을 주지 않은 조건에서 자랐다는 것으로 알 수 있습니다.

(내용 플러스)

햇빛과 물이 콩나물의 자람에 미치는 영향

햇빛이 잘 드는 곳에 두고 물을 준 것	햇빛을 차단하고 물을 주지 않은 것
떡잎과 떡잎 아래 몸통이 초록색으로 변한다. 떡잎 아래 몸통이 길고 굵어졌으며, 햇빛을 향하여 굽어 자란다. 초록색 본잎이 나온다.	떡잎이 노란색이고, 떡잎 아래 몸통이 매우 가늘어지고 시들었다.

➡ 콩나물이 자라는 데 햇빛과 물이 영향을 준다는 것을 알 수 있습니다.

14 햇빛의 양에 따른 나팔꽃의 개화를 알아보는 실험이기 때문에 햇빛의 양만 다르게 하고 다른 조건은 동일하게 합니다.

15 물이 부족하면 식물이 잘 자라지 않습니다. 식물은 흙에서 자라는 데 필요한 물과 양분을 얻습니다. 물은 생물이 생명을 유지하는 데 반드시 필요합니다. 생물은 물이 부족하면 생명이 위험해집니다. 물은 동물의 체온을 유지하고 몸속으로 들어온 양분을 녹여 소화를 돕고, 각종 양분을 운반하고 노폐물을 배출하는 것을 돕습니다. 식물은 물이 없으면 말라 죽습니다. 물이 부족하면 잎이 시들거나 생장이 억제되고, 낙엽이나 낙화 현상이 나타납니다.
흙은 생물이 살아가는 장소를 제공합니다. 식물은 흙에서 자라는 데 필요한 물과 양분을 얻습니다.

채점 TIP 물과 흙이 식물에게 주는 영향을 한 가지씩 옳게 쓰면 정답으로 합니다.

16 지구에는 숲, 강, 바다, 사막 등 다양한 환경의 서식지가 있습니다. 생물은 각 서식지 환경에서 살아남기에 유리한 특징을 지녀야 자손을 남길 수 있습니다.

▲ 밤송이(생김새를 통한 적응)

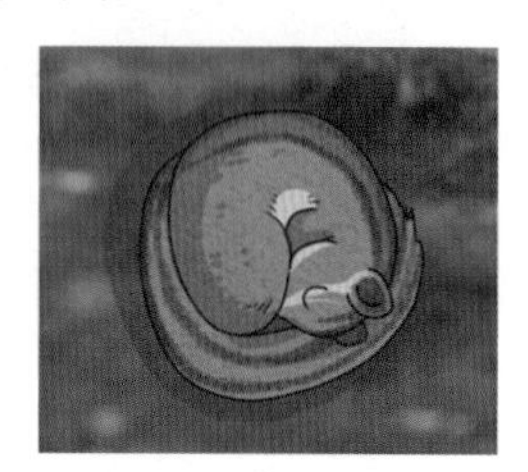

▲ 겨울잠을 자는 다람쥐 (생활 방식을 통한 적응)

17 선인장의 잎은 가시로 변형되어 있어서 증산 작용이 활발하지 않고, 그로 인해 수분 손실이 적습니다. 줄기는 수분을 저장하는 줄기의 특성으로 건조한 환경에 적응되었습니다. 줄기 표면은 수분 증발을 방지하는 투명한 왁스로 덮여 있습니다. 뿌리는 얕지만 매우 넓게 뻗은 수염뿌리로 매우 적은 양의 비가 온 후에도 토양 표면의 물을 효과적으로 흡수할 수 있습니다. 선인장의 잎, 줄기, 뿌리는 모두 건조한 환경에 적응된 생김새를 갖추고 있습니다.

▲ 건조한 사막에 사는 선인장은 수분 손실을 줄이는 모습으로 적응되었다.

18 북극여우는 여름에는 갈색, 겨울에는 하얀색, 그 외 계절에는 어두운 색으로 털갈이를 하여 털 색이 계절별 주변 환경과 비슷합니다.

19 북극여우는 서식지 환경과 털 색깔이 비슷해서 적에게서 몸을 숨기거나 먹잇감에 접근하기 유리하게 적응되었습니다.

20 바다에서 기름이 유출되면 물이 더러워지고 그곳에 사는 물고기는 산소가 부족하여 죽기도 합니다. 쓰레기를 토양에 매립하면 토양에서 악취가 나고 생활 환경이 나빠집니다. 대기 오염의 원인은 자동차나 공장의 매연 등이고 이는 황사나 미세먼지로 동물의 질병을 증가시킵니다. 수질 오염의 원인은 폐수의 배출, 기름 유출 등으로, 이 영향으로 물이 더러워지고 악취가 나며 그곳에 사는 물고기는 산소가 부족하여 죽기도 하고, 기름 유출로 생물의 서식지가 파괴됩니다. 토양 오염의 원인은 쓰레기 배출, 농약이나 비료의 지나친 사용 등이며 이로 인해 쓰레기 매립으로 심각한 악취가 나고 생활 환경이 나빠집니다. 환경이 오염되면 그곳에 살고 있는 생물의 종류와 수가 줄어들고, 심하면 생물이 멸종되기도 합니다. 사람들이 도로를 만들거나 건물을 지으면서 생물의 서식지를 파괴하기도 합니다.

30~31쪽

1 (1) 예 배추, 느티나무, 개망초 (2) 예 배추흰나비 애벌레, 배추흰나비, 참새 (3) 예 곰팡이, 세균, 예 죽은 생물과 생물의 배출물이 분해되지 않아서 우리 주변이 죽은 생물과 생물의 배출물로 가득 차게 될 것입니다. **2** 예 벼(생산자)의 수가 줄어들고, 개구리(2차 소비자)의 수는 늘어납니다. 벼(생산자)는 늘어난 메뚜기의 먹이가 되기 때문이고, 늘어난 메뚜기는 개구리(2차 소비자)의 먹이가 되기 때문입니다. **3** 예 늘어나게 되었습니다. 비버는 강가의 나무로 집을 만들고 나뭇가지 등을 먹고 살기 때문입니다. **4** 예 계속 줄어들었을 것입니다. 사슴은 계속해서 강가의 풀과 나무를 먹어 치웠을 것이기 때문입니다. **5** 예 공통점은 생물들이 먹고 먹히는 관계가 나타난다는 것입니다. 차이점은 먹이 사슬은 한 방향으로만 연결되고, 먹이 그물은 여러 방향으로 연결된다는 것입니다.
6 예 햇빛이 잘 드는 곳에서 물을 준 콩나물이 가장 잘 자랍니다. 콩나물이 자라는 데 햇빛과 물이 영향을 줍니다. **7** 예 대벌레는 생김새를 통한 적응으로, 가늘고 길쭉한 생김새로 나뭇가지가 많은 환경에서 몸을 숨기기 유리하게 적응되었습니다. 공벌레는 생활 방식을 통한 적응으로, 오므리는 행동을 통해 적의 공격에서 몸을 보호하기 유리하게 적응되었습니다.
8 예 자전거 타기, 자전거를 탈 때는 배기가스(매연)가 나오지 않으므로, 공기가 오염되는 것을 막을 수 있습니다.

1 생산자는 배추와 같이 햇빛 등을 이용하여 살아가는 데 필요한 양분을 스스로 만드는 생물입니다. 소비자는 배추흰나비와 같이 스스로 양분을 만들지 못하고 다른 생물을 먹이로 하여 살아가는 생물입니다. 분해자는 곰팡이와 같이 주로 죽은 생물이나 배출물을 분해하여 양분을 얻는 생물입니다.

▲ 생산자(느티나무)

▲ 소비자(참새)

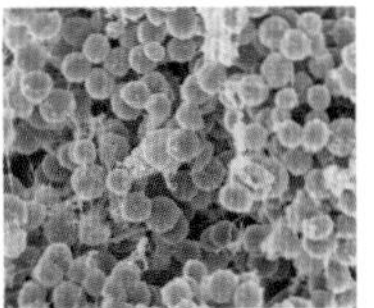
▲ 분해자(세균)

채점 기준

상	생산자, 소비자, 분해자를 옳게 분류하여 쓰고, 어떤 일이 일어날지 옳게 쓴 경우
중	생산자, 소비자, 분해자를 옳게 분류하여 쓰고, 어떤 일이 일어날지 미흡하게 쓴 경우
하	생산자, 소비자, 분해자만 옳게 분류하여 쓴 경우

(내용 플러스)

먹이에 따른 소비자의 분류
주로 섭취하는 먹이에 따라 소비자를 초식 동물, 잡식 동물, 육식 동물로 분류할 수 있습니다.
- 초식 동물: 나뭇잎, 풀, 과일 등 생산자를 주로 먹는 소비자입니다. 식물은 섬유질이 많아 소화에 시간이 많이 걸리기 때문에 초식 동물은 소화 기관이 잘 발달되었습니다. 예 소, 사슴, 나비, 메뚜기 등
- 잡식 동물: 주로 생산자와 소비자를 모두 먹을 수 있는 소비자입니다. 예 사람, 개, 곰, 돼지, 참새 등
- 육식 동물: 초식 동물에 비해서 단백질 분해 효소의 활성이 강하며, 장이 짧습니다. 예 독수리, 호랑이, 고양이, 상어 등
- 때때로 초식 동물이 동물을 먹고, 육식 동물이 식물을 먹는 경우도 있습니다.

2 1차 소비자는 메뚜기입니다. 메뚜기의 수가 갑자기 늘어나면 늘어난 메뚜기의 먹이가 되는 생산자의 수나 양은 줄어들고, 늘어난 메뚜기를 먹고 사는 개구리의 수나 양은 늘어납니다.

▲ 생태 피라미드

채점 기준

상	변화와 까닭을 모두 옳게 쓴 경우
중	변화를 옳게 썼으나 까닭을 미흡하게 쓴 경우
하	변화만 옳게 쓴 경우

3 먹이가 많아지면 먹이를 먹고 사는 개체가 늘어납니다.

채점 기준

상	늘어난다고 쓰고, 까닭을 옳게 쓴 경우
중	늘어난다고 쓰고, 까닭을 미흡하게 쓴 경우
하	늘어난다고만 쓴 경우

4 먹이가 줄어들면 먹이를 먹고 사는 개체가 줄어듭니다.

채점 기준

상	줄어든다고 쓰고, 까닭을 옳게 쓴 경우
중	줄어든다고 쓰고, 까닭을 미흡하게 쓴 경우
하	줄어든다고만 쓴 경우

(내용 플러스)

생태계 평형

- 어떤 지역에 살고 있는 생물의 종류와 수 또는 양이 균형을 이루며 안정된 상태를 유지하는 것을 생태계 평형이라고 합니다.
- 특정 생물의 수나 양이 갑자기 늘어나거나 줄어들면 생태계 평형이 깨지기도 하는데, 이를 다시 회복하려면 오랜 시간과 노력이 필요합니다.
- 생태계 평형이 깨지는 원인에는 가뭄, 홍수, 산불, 지진, 태풍과 같은 자연적인 요인뿐만 아니라 댐, 도로, 건물 건설과 같은 인위적인 요인도 있습니다.

5 먹이 그물이 먹이 사슬보다 생태계에서 여러 생물들이 함께 살아가기에 유리한 먹이 관계입니다. 어느 한 종류의 먹이가 부족해지더라도 다른 먹이를 먹고 살 수 있기 때문에 여러 생물들이 함께 살아가기에 유리합니다.
다음 먹이그물에서 개구리 수가 줄어들어 뱀의 먹이가 부족해지더라도 뱀은 참새, 토끼, 다람쥐 등 다른 먹이를 먹고 살 수 있습니다.

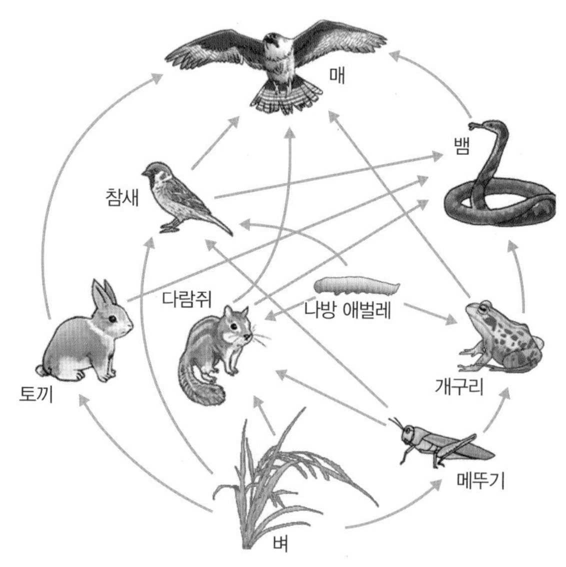

채점 기준

상	공통점과 차이점을 모두 옳게 쓴 경우
중	공통점과 차이점 중 한 가지만 옳게 쓴 경우

6 햇빛과 물이 콩나물의 자람에 미치는 영향을 알아보는 실험입니다.

㉠	㉡	㉢	㉣
햇빛 ○ 물 ○	햇빛 ○ 물 ×	햇빛 × 물 ○	햇빛 × 물 ×

채점 기준

상	알 수 있는 사실을 옳게 쓴 경우
중	알 수 있는 사실을 미흡하게 쓴 경우

7 특정한 서식지에서 오랜 기간에 걸쳐 살아남기에 유리한 특징이 자손에게 전달되는 것을 적응이라고 합니다. 생물은 생김새와 생활 방식 등을 통해 환경에 적응됩니다.

▲ 대벌레(생김새를 통한 적응)

▲ 공벌레(생활 방식을 통한 적응)

채점 기준

상	대벌레와 공벌레의 적응에 대해 모두 옳게 쓴 경우
중	대벌레와 공벌레의 적응 중 한 가지만 옳게 쓴 경우

8 합성 세제 사용 줄이기도 생태계를 보전하는 방법입니다. 합성 세제 사용을 줄이면 합성 세제의 화학 성분이 물속 생물에 끼치는 해로운 영향을 줄일 수 있습니다.
일회용품 사용 줄이기도 생태계를 보전하기 위한 방법입니다. 일회용품은 한 번 쓰면 버려야 하기 때문에 사용이 증가하면 자연이 훼손될 수 있기 때문입니다.
주변에 나무를 많이 심으면 생태계를 넓힐 수 있습니다.
가까운 거리는 걸어다니고 대중교통을 이용하면 대기 오염을 줄이고 생태계를 보전할 수 있습니다.

▲ 나무 심기

▲ 대중교통 이용하기

채점 기준

상	방법과 도움이 되는 점을 모두 옳게 쓴 경우
중	방법과 도움이 되는 점을 썼으나 미흡한 경우
하	방법만 쓴 경우

3 날씨와 우리 생활

1 습도, 응결, 구름

40쪽

1 예 온도가 내려갑니다.
2 예 뿌옇게 흐려집니다. 수증기가 응결합니다.
3 구름

1 공기 주입 마개의 뚜껑을 열면 페트병 안의 온도가 내려갑니다. 온도가 내려간다는 의미로 쓰면 정답으로 합니다.

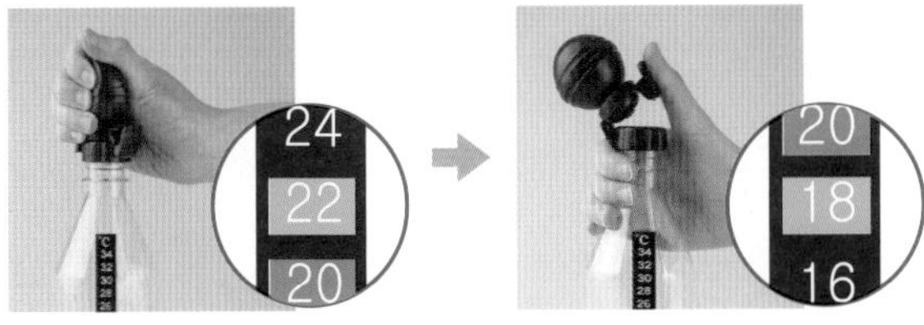

▲ 초록색으로 변한 부분의 온도를 읽어 온도를 측정한다. 페트병 안의 온도는 22℃에서 18℃로 변했다.

2 페트병 안의 수증기가 응결하며 뿌옇게 흐려집니다.
이 실험을 할 때 페트병에 향 연기를 조금 넣으면 실험 결과가 더 뚜렷하게 나타납니다. 단, 이때 페트병 안에 응결된 작은 물방울을 향 연기로 착각하지 않도록 주의합니다.

3 페트병 안에 공기를 넣은 뒤 공기 주입 마개의 뚜껑을 열면 페트병 안의 온도가 낮아지면서 수증기가 응결하여 물방울로 변하는 현상이 나타나는데, 이것은 자연 현상 중에서 구름이 만들어지는 현상과 비슷합니다.

▲ 구름

41쪽

1 78 2 (2) ○ 3 수미, 병호 4 이슬
5 ㉣ 6 비

1 공기 중에 수증기가 포함된 정도를 습도라고 합니다. 습도표의 세로줄에서 건구 온도에 해당하는 27℃를 찾고, 가로줄에서 건구 온도와 습구 온도의 차(27℃－24℃＝3℃)를 찾아 만나는 지점이 현재 습도입니다.

(단위: %)

건구 온도(℃)	건구 온도와 습구 온도의 차(℃)				
	0	1	2	3	4
26	100	92	85	78	71
27	100	92	85	78	71
28	100	93	85	78	72
29	100	93	86	79	72
30	100	93	86	79	73

2 우리가 쾌적함을 느끼는 습도는 15℃에서 70% 정도, 18~20℃에서는 60% 정도, 21℃~23℃에서는 50% 정도, 24℃ 이상에서는 40% 정도입니다. 교실의 습도가 15%이면 습도가 낮은 편이기 때문에 습도를 높이는 방법을 찾아야 합니다. (1) 제습제는 습기를 없애는 물질이어서 습도를 낮춥니다.

내용 플러스

습도를 조절하는 방법
- 건조한 날 습도를 높이려면 실내에 빨래를 널거나 수증기를 내어 실내의 습도를 조절하는 전기 기구인 가습기를 사용합니다.
- 습한 날 습도를 낮추려면 습기를 없애는 물질인 제습제를 사용합니다. 또 마른 숯을 실내에 놓아두면 습도를 낮출 수 있습니다.

▲ 가습기

▲ 마른 숯

3 밤에 차가워진 나뭇가지나 풀잎 등에 수증기가 응결해 물방울로 맺힌 것은 이슬이고, 밤에 지표면 근처의 공기가 차가워지면 공기 중 수증기가 응결해 작은 물방울로 떠 있는 것은 안개입니다. 즉, 이슬과 안개 모두 수증기가 응결해 나타난다는 공통점이 있습니다.

▲ 풀잎에 맺힌 이슬

▲ 도로에 낀 안개

4 집기병 표면에 작은 물방울이 맺힙니다. 이것은 집기병 바깥에 있는 공기 중 수증기가 응결해 집기병 표면에 물방울로 맺히기 때문입니다. 이는 자연 현상에서 이슬이 만들어지는 현상과 비슷합니다.

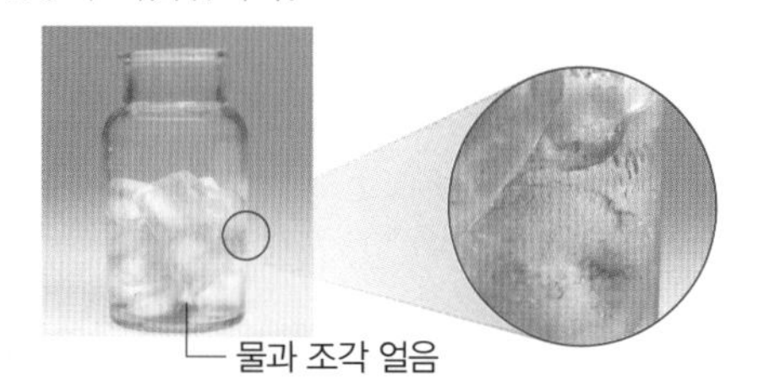

5 공기는 지표면에서 하늘로 올라가면서 부피가 점점 커지고 온도는 점점 낮아집니다. 이때 공기 중 수증기가 응결해 물방울이 되거나 얼음 알갱이 상태로 변해 하늘에 떠 있는 것을 구름이라고 합니다.

6 구름 속 얼음 알갱이의 크기가 커지면서 무거워져 떨어질 때 녹지 않은 채로 떨어지면 눈이 되고 떨어지면서 녹으면 비가 됩니다.

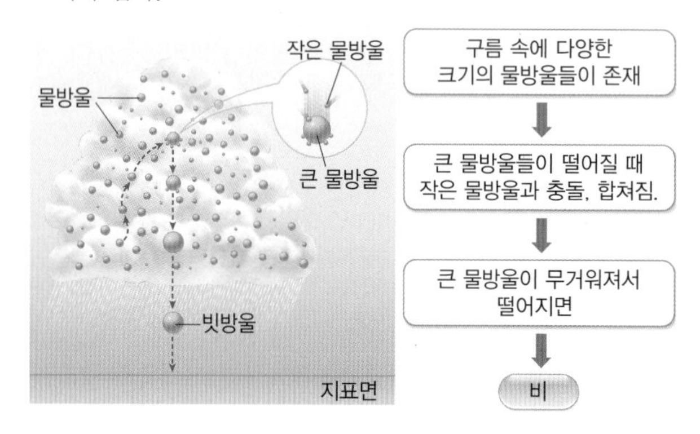

2 기압과 온도 변화

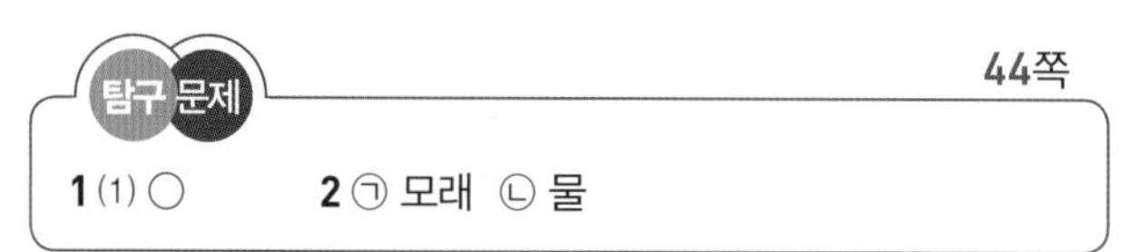
탐구 문제 44쪽

1 (1) ○ 2 ㉠ 모래 ㉡ 물

1 그릇에 담는 물질인 모래와 물만 다르게 하고 다른 조건은 모두 동일하게 합니다.

(내용 플러스)

모래와 물의 온도 변화 측정 실험을 할 때 주의할 점

- 열 전구를 손으로 만지거나 오랫동안 쳐다보지 않도록 주의합니다.
- 온도계의 액체샘이 표면에 드러나면 온도계가 직접 가열되므로 액체샘이 모래와 물에 1cm 깊이로 잠기도록 설치합니다.

2 전등을 켰을 때 모래는 빨리 데워지고 물은 천천히 데워집니다. 전등을 껐을 때 모래는 빨리 식고 물은 천천히 식습니다. 즉, 모래는 물보다 빠르게 데워지고 빠르게 식으며, 물은 모래보다 천천히 데워지고 천천히 식습니다. 모래는 물보다 온도 변화가 큽니다.

시간(분) / 물질	0	2	4	6	8	10	12	14	16	18	20
	전등을 켬.						전등을 끔.				
모래(℃)	15.0	18.0	21.1	24.9	28.0	31.0	31.0	30.2	29.1	28.0	27.0
물(℃)	15.0	16.3	17.4	18.4	19.6	20.9	20.9	20.8	20.5	20.3	20.1

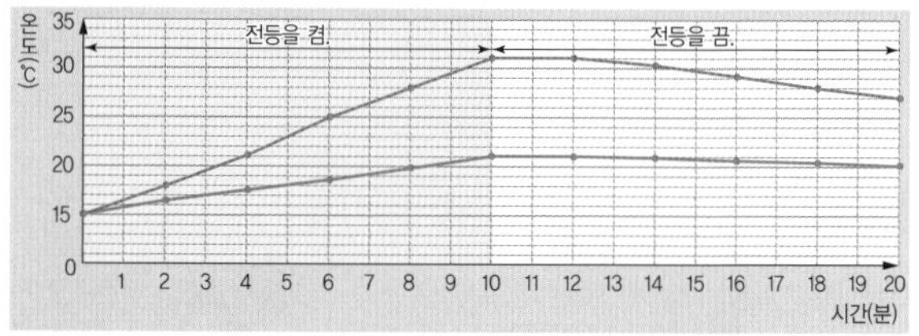

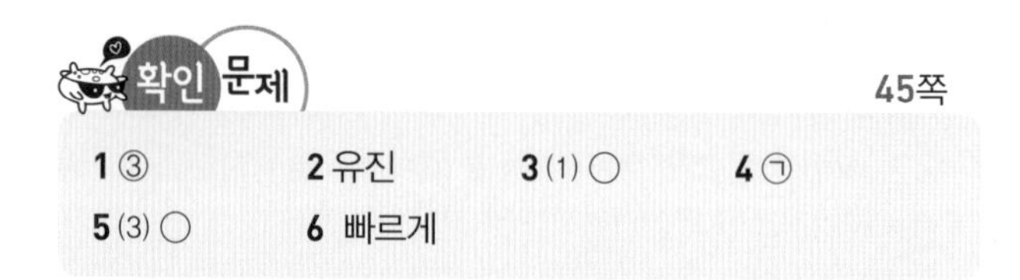
확인 문제 45쪽

1 ③ 2 유진 3 (1) ○ 4 ㉠
5 (3) ○ 6 빠르게

1 일정한 부피에 공기 알갱이가 많을수록 공기는 무거워지며 기압은 높아집니다. 차가운 공기는 따뜻한 공기보다 일정한 부피에 공기 알갱이가 더 많아 무겁고 기압이 더 높습니다. 이처럼 상대적으로 공기가 무거운 것을 고기압이라고 하고, 상대적으로 공기가 가벼운 것을 저기압이라고 합니다.

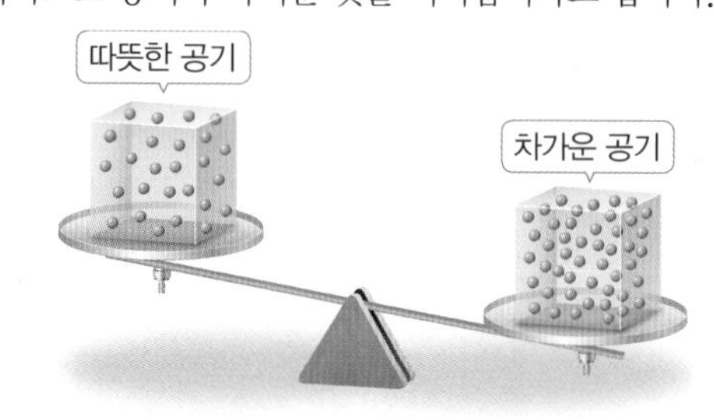

▲ 고기압과 저기압의 무게 비교

2 공기는 기압이 높은 곳에서 기압이 낮은 곳으로 이동합니다. 바람이 부는 까닭은 어느 두 지점 사이에 기압 차가 생기기 때문입니다.

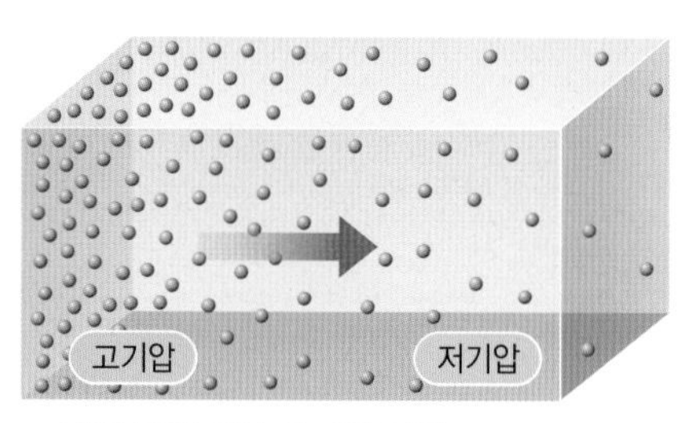

▲ 기압 차에 의한 공기의 이동

3 실제 자연에서 공기 알갱이는 그림과 같이 지역에 따라 서로 다른 밀도로 분포되어 있습니다. 이런 밀도 차는 기압 차를 만들고, 이로 인해 공기가 이동합니다.

4 차가운 공기는 따뜻한 공기보다 일정한 부피에 들어 있는 공기 알갱이의 양이 더 많기 때문에 무거우므로 ㈎의 무게는 ㈏의 무게보다 더 무겁습니다.

5 지면이 수면보다 빠르게 데워지기 때문에 낮에는 지면의 온도가 수면의 온도보다 높습니다. 지면이 수면보다 빠르게 식기 때문에 밤에는 지면의 온도가 수면의 온도보다 낮습니다.

(내용 플러스)

수면이 지면보다 느리게 데워지는 까닭

- 물이 모래보다 비열이 크기 때문입니다.
- 물은 대류 현상으로 전체가 데워지지만, 모래는 표면만 데워지기 때문입니다.
- 물을 가열하면 물이 증발하면서 열을 소모하므로 온도가 쉽게 올라가지 않기 때문입니다.
- 물은 투명해 태양 빛이 깊이 투과되어 큰 부피의 물에 흡수되지만, 모래는 태양 빛이 얕게 투과되어 상대적으로 적은 부피의 표면에만 흡수되기 때문입니다.

6 지면과 수면은 하루 동안 온도 변화가 다르게 나타납니다. 모래는 물보다 빠르게 데워지고 빠르게 식으며, 물은 모래보다 천천히 데워지고 천천히 식습니다.

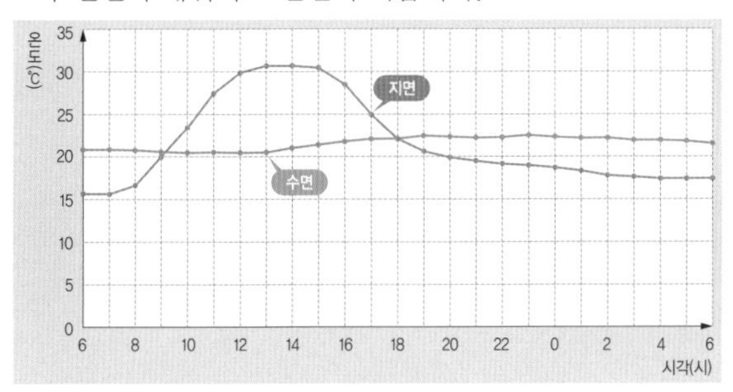

▲ 지면과 수면의 하루 동안 온도 변화

3 해풍과 육풍, 계절별 날씨

탐구 문제 48쪽

1 모래 2 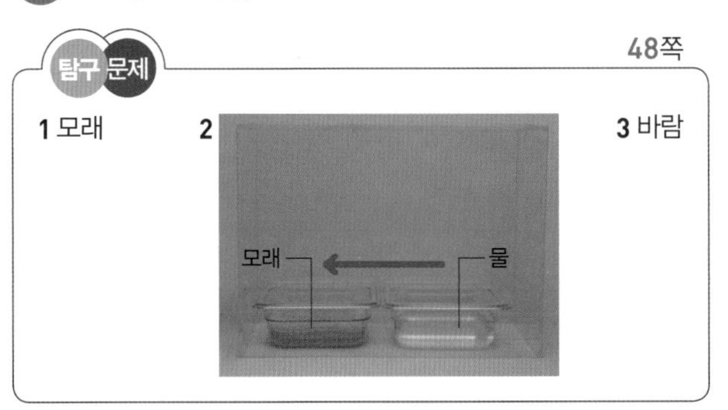

3 바람

1 물은 모래보다 천천히 데워집니다. 따라서 모래의 온도는 물의 온도보다 높습니다.

(내용 플러스)

바람이 부는 방향을 관찰하는 실험이 잘 되는 조건

- 두 그릇은 측면이 맞닿게 놓습니다.
- 모래와 물의 양은 그릇의 약 $\frac{3}{4}$(약 800mL) 정도로 합니다. 양이 너무 적으면 물이 과도하게 가열됩니다.
- 모래와 물의 초기 온도와 실내 온도를 대략 15℃ 이하로 유지합니다. 초기 온도가 높으면 투명한 상자 내부 전체가 가열되어 대류 현상이 잘 관찰되지 않습니다.
- 위의 조건에서 모래와 물을 가열하는 시간은 5~6분 정도가 적당합니다.

2 온도가 낮은 물 위의 공기가 온도가 높은 따뜻한 모래 쪽으로 이동합니다.

(내용 플러스)

물은 모래보다 천천히 데워져 온도가 더 낮습니다. 그러므로 물 위의 공기는 고기압이 되고, 모래 위의 공기는 저기압이 됩니다. 그런데 공기는 고기압에서 저기압으로 이동하므로, 향 연기가 물 쪽에서 모래 쪽으로 이동합니다.

3 공기의 압력 차에 의해 향 연기가 수평 방향으로 이동하는 것을 바람이라고 할 수 있습니다.

확인 문제 49쪽

1 

2 24.0 3 (1) ○ 4 ㉠ 차갑고 ㉡ 건조하다
5 ㉠ 6 (1) ㉠ (2) ㉢ (3) ㉣

1 바닷가에서 낮에는 육지가 바다보다 온도가 높습니다. 따라서 육지 위는 저기압, 바다 위는 고기압이 되기 때문에 바람이 바다에서 육지로 붑니다.

(내용 플러스)

바람의 방향 표시 방법

바람의 방향은 바람이 불어오는 방향을 말합니다. 따라서 해풍은 바다에서 육지로 부는 바람, 육풍은 육지에서 바다로 부는 바람을 뜻합니다. 마찬가지로 방위와 관련하여 남쪽에서 바람이 불어오면 남풍, 북쪽과 서쪽 사이에서 바람이 불어오면 북서풍이라고 합니다.

2 물은 모래보다 천천히 데워집니다. 따라서 모래의 온도는 물의 온도보다 높은 24.0℃입니다.

3 물은 모래보다 천천히 데워져 온도가 더 낮습니다. 물 위 공기는 고기압이 되고, 모래 위 공기는 저기압이 됩니다. 공기는 고기압에서 저기압으로 이동하므로, 향 연기가 물 쪽에서 모래 쪽으로 이동합니다.

4 북서쪽 대륙에서 이동해 오는 차갑고 건조한 공기 덩어리로 우리나라의 겨울철 날씨에 영향을 줍니다.

(내용 플러스)

공기 덩어리와 날씨

대륙이나 바다와 같이 넓은 곳을 덮고 있는 공기 덩어리가 한 지역에 오랫동안 머물게 되면 공기 덩어리는 그 지역의 온도나 습도와 비슷한 성질을 갖게 됩니다. 한 지역에 새로운 공기 덩어리가 이동해 오면 그 지역의 온도와 습도는 새롭게 이동해 온 공기 덩어리에 영향을 받습니다.

5 우리나라 여름에는 남동쪽 바다에서 이동해 오는 북태평양 고기압의 영향으로 덥고 습합니다.

6 (1) 비 오는 날에는 우산을 쓰고, 장화를 신습니다.
(2) 맑고 따뜻한 날에는 가벼운 옷차림으로 야외 활동을 즐깁니다.
(3) 황사나 미세 먼지가 많은 날은 야외 활동을 자제하고 외출할 때에는 마스크를 착용합니다.
춥고 건조한 날에는 두꺼운 옷을 입고 목도리를 착용합니다.

50~53쪽

1 (1) ㉠ (2) ㉡ **2** 71 **3** ①, ③
4 ㉢ **5** (1) 안 (2) 이 (3) 모 (4) 이 (5) 안
6 (1) 안개 (2) 이슬 **7** (1) ㉠ (2) ㉢ (3) ㉡
8 구름 **9** (1) ○ (2) × (3) ×
10 예 상대적으로 공기가 무거운 것을 고기압이라고 하며, 상대적으로 공기가 가벼운 것을 저기압이라고 합니다. 바람은 고기압에서 저기압으로 붑니다.
11 ㉣ **12** ㉠
13 (1) ㉠ 빨리 ㉡ 천천히 (2) ㉠ 빨리 ㉡ 천천히 (3) ㉠ 모래 ㉡ 물
14 (1) 육지 (2) 바다 (3) 태양 **15** ㉠ 해풍 ㉡ 육풍
16 예 낮에는 육지가 바다보다 온도가 높고, 밤에는 바다가 육지보다 온도가 높아서 낮에는 바다 위가 고기압, 밤에는 육지 위가 고기압이 되기 때문입니다. **17** (1) ○
18 공기 덩어리 **19** (1) ㉢ (2) ㉣ (3) ㉠
20 (2) ○

1 건구 온도계는 헝겊을 감싸지 않은 온도계로, 기온을 측정하는 온도계입니다. 습구 온도계는 알코올 온도계 액체샘을 헝겊으로 감싼 뒤에 헝겊의 아랫부분이 물에 잠기도록 한 온도계입니다.

(내용 플러스)

건습구 습도계는 습구 온도계를 감싸고 있는 젖은 헝겊에서 물이 증발하는 정도를 이용해 습도를 측정하는 방식입니다. 습구 온도계를 감싸고 있는 젖은 헝겊의 물은 온도계 주위의 에너지를 흡수하며 수증기로 상태가 변하기 때문에 습구 온도계의 눈금이 낮아집니다. 따라서 공기가 건조할수록 젖은 헝겊이 더 빨리 마르고 습구 온도계의 온도도 더 낮아집니다. 반대로 공기가 습하다면 습구 온도계를 감싸고 있는 젖은 헝겊에서 물의 증발이 더디게 일어날 것이고 건구 온도계와 습구 온도계의 온도 차도 적어집니다.

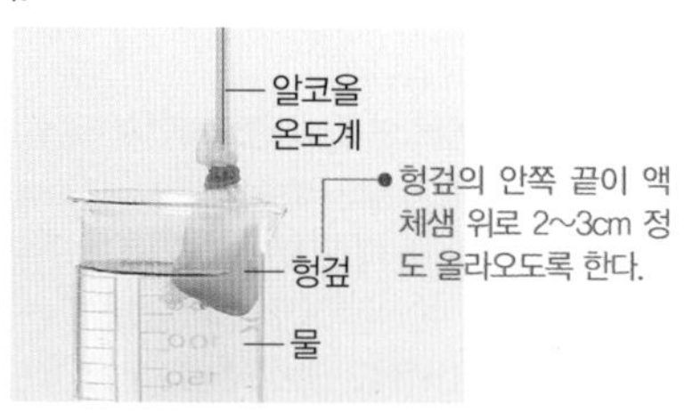

2 습도표의 세로줄에서 건구 온도에 해당하는 지점을 찾아 표시하고, 건구 온도와 습구 온도의 차를 구해 가로줄에서 해당하는 지점을 찾아 표시한 뒤, 가로줄과 세로줄이 만나는 지점이 현재 습도를 나타냅니다.

(단위: %)

건구 온도(℃)	건구 온도와 습구 온도의 차(℃)				
	0	1	2	3	4
26	100	92	85	78	71
27	100	92	85	78	71
28	100	93	85	78	72
29	100	93	86	79	72
30	100	93	86	79	73

3 실내 습도가 40%에 미치지 못할 경우 호흡기 감염, 알레르기 증상, 천식 등의 질병에 걸릴 수 있습니다. 반대로 과도하게 높은 습도는 진드기, 곰팡이의 번식과 성장을 촉진합니다. 실내 습도를 적절하게 유지하는 것이 중요합니다.

(내용 플러스)

습도가 우리 생활에 미치는 영향

습도가 높을 때	습도가 낮을 때
• 곰팡이가 잘 피게 한다. • 빨래가 잘 마르지 않게 한다. • 음식물이 쉽게 부패하게 한다.	• 빨래를 잘 마르게 한다. • 피부를 건조하게 한다. • 쉽게 산불이 발생하게 한다. • 쉽게 감기와 같은 호흡 질환이 생기게 한다.

4 옷장이나 신발장 속에 제습제를 넣으면 습도를 낮출 수 있습니다. 제습제는 습기를 없애는 물질입니다.

5 이슬과 안개 모두 수증기가 응결해 나타나는 현상입니다. 이슬은 물체 표면에 맺히는 것이고, 안개는 지표면 근처에 떠 있는 것입니다.

6 실험 ㈎에서 집기병 안이 뿌옇게 흐려집니다. 집기병 안 따뜻한 수증기가 조각 얼음 때문에 차가워져 응결하기 때문입니다. 실험 ㈏에서 집기병 표면에 작은 물방울이 맺힙니다. 집기병 바깥에 있는 공기 중 수증기가 응결해 집기병 표면에서 물방울로 맺히기 때문입니다.

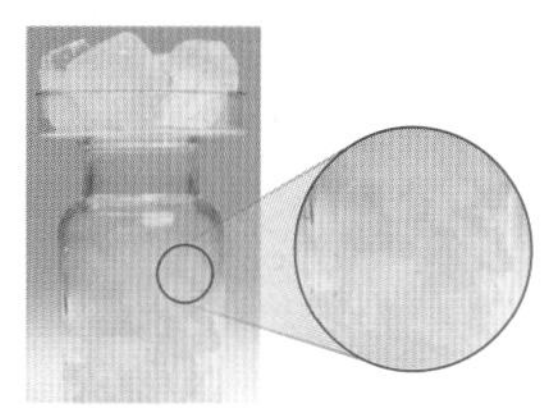

▲ 실험 ㈎의 결과

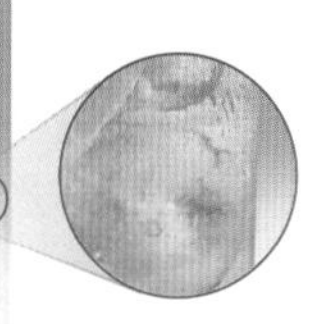

▲ 실험 ㈏의 결과

7 이슬, 안개, 구름은 모두 수증기가 응결해 발생하는 현상이지만 냉각되는 대상과 수증기의 응결 위치가 다르다는 차이점이 있습니다.

(내용 플러스)

이슬, 안개, 구름의 차이점

구분	만들어지는 과정	만들어지는 위치
이슬	밤에 차가워진 나뭇가지나 풀잎 등에 공기 중의 수증기가 응결한다.	물체 표면에 맺힌다.
안개	밤에 지표면 근처의 공기가 차가워지면 공기 중 수증기가 응결한다.	지표면 근처에 떠 있다.
구름	공기가 위로 올라가 차가워지면 공기 중 수증기가 응결하거나 얼음 알갱이로 변한다.	높은 하늘에 떠 있다.

8 페트병 안에 공기를 넣은 뒤 공기 주입 마개의 뚜껑을 열면 페트병 안 온도가 낮아지면서 수증기가 응결하여 물방울로 변하는 현상이 나타나는데, 이것은 자연 현상 중에서 구름이 만들어지는 현상과 비슷합니다.

9 (1) 공기는 무게가 있습니다.
(2) 공기의 무게로 생기는 누르는 힘을 기압이라고 합니다.
(3) 일정한 부피에 공기 알갱이가 많을수록 공기는 무거워지며 기압은 높아집니다.

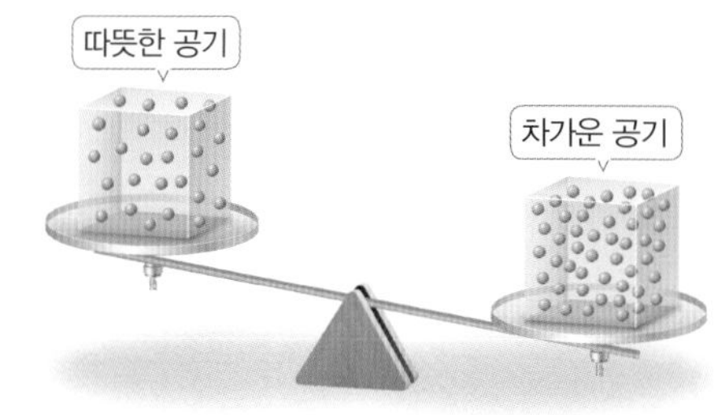

▲ 고기압과 저기압의 무게 비교

10 상대적으로 공기가 무거운 것을 고기압이라고 하며, 상대적으로 공기가 가벼운 것을 저기압이라고 합니다. 바람은 고기압에서 저기압으로 붑니다.

(내용 플러스)

공기가 가열되어 온도가 높아지면 상승하고, 공기가 냉각되어 온도가 낮아지면 하강합니다. 공기의 온도가 낮아져 하강하는 곳에서는 기압이 높아져 고기압이 만들어집니다. 공기의 온도가 높아져 상승하는 곳에서는 저기압이 만들어집니다. 이때 고기압에서 저기압으로 이동하는 공기가 바람입니다.

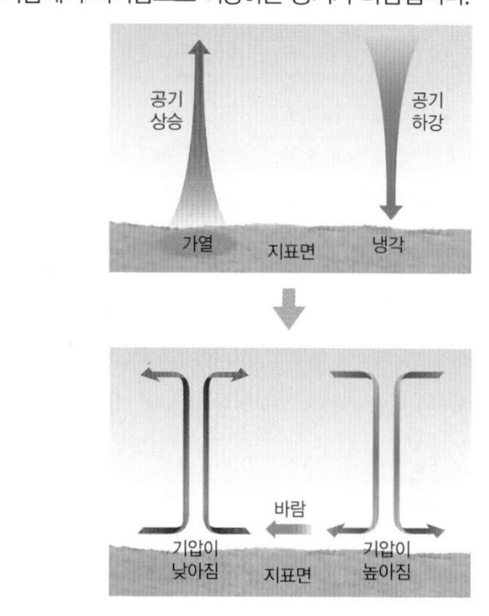

채점 TIP 고기압, 저기압의 설명과 바람이 부는 방향을 모두 옳게 쓰면 정답으로 합니다.

11 차가운 공기는 밀도가 크므로, 플라스틱 통을 세운 채로 공기를 넣어야 하고, 따뜻한 공기는 밀도가 작으므로 플라스틱 통을 뒤집은 채로 공기를 넣어야 합니다. 특히 뚜껑을 닫을 때도 각각의 상태를 유지한 채로 닫습니다.

(내용 플러스)

실험이 잘 되는 조건

실내 온도가 낮을수록, 플라스틱 통이 클수록, 머리말리개에서 나오는 따뜻한 공기의 온도가 높을수록 플라스틱 통의 무게 차이가 커집니다.

12 모래는 전등을 켰을 때 31℃까지 올라갔으며, 전등을 껐을 때 27℃까지 내려갔습니다. 반면, 물은 전등을 켰을 때 20.9℃까지 올라갔으며, 전등을 껐을 때 20.1℃까지 내려갔습니다. 즉, 모래는 물보다 빠르게 데워지고 빠르게 식으므로 ㉠이 모래, ㉡이 물의 온도 변화를 나타냅니다.

13 모래는 물보다 빠르게 데워지고 빠르게 식으며, 물은 모래보다 천천히 데워지고 천천히 식습니다. 즉, 모래는 물보다 온도 변화가 큽니다.

14 실험에서 사용된 모래와 물, 전등은 실제 자연 요소인 육지, 바다, 태양과 짝을 이룹니다. 육지는 바다보다 온도 변화가 큽니다.

15 바람의 방향은 바람이 불어오는 방향을 말합니다. 바다에서 육지로 부는 바람을 해풍이라고 하고, 육지에서 바다로 부는 바람을 육풍이라고 합니다. 해풍의 '해(海)'는 한자로 바다를 뜻합니다.

▲ 해풍

▲ 육풍

(내용 플러스)

해풍과 육풍이 부는 까닭

바닷가에서 낮과 밤에 서로 다른 방향으로 공기가 흐릅니다. 이는 지면과 수면의 하루 동안 온도 변화와 관계가 있습니다. 육지와 바다의 구성 물질이 달라서 비열이 차이 나기 때문에 낮과 밤에 지면과 수면의 온도 변화가 다르고 공기가 반대 방향으로 순환하여 해풍과 육풍이 불게 됩니다.

16 육지와 바다는 지표면을 이루는 물질의 차이로 서로 다르게 가열되어 낮에는 바다 위가 고기압, 밤에는 육지 위가 고기압이 됩니다.

채점 TIP 까닭을 옳게 쓰면 정답으로 합니다.

17 물은 모래보다 천천히 데워져 온도가 더 낮습니다. 물 위 공기는 고기압이 되기 때문에 향 연기가 물 쪽에서 모래 쪽으로 이동합니다.

18 대륙이나 바다와 같이 넓은 곳을 덮고 있는 공기 덩어리가 한 지역에 오랫동안 머물게 되면 공기 덩어리는 그 지역의 온도나 습도와 비슷한 성질을 갖게 됩니다.

19 우리나라의 날씨는 주변 지역에서 이동해 오는 공기 덩어리의 영향으로 계절별로 서로 다른 특징이 있습니다.

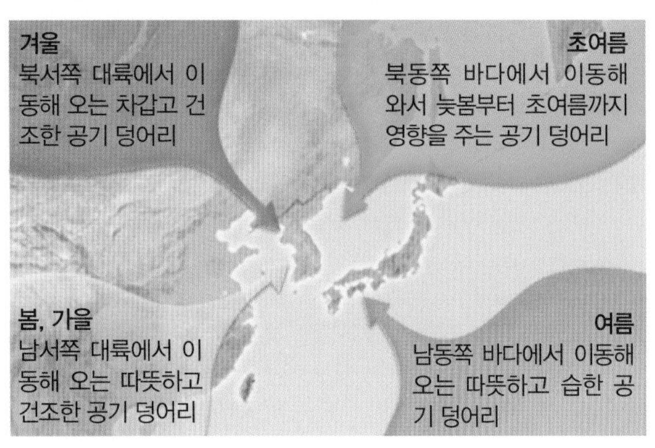

20 날씨 지수에는 감기 가능 지수, 불쾌지수, 식중독 지수, 자외선 지수 등이 있습니다. 여러 가지 날씨 지수를 확인하고 그날의 계획을 적절하게 세울 수 있습니다.

(내용 플러스)

기상청에서는 우리가 다양한 날씨에 대처하도록 여러 가지 날씨 지수를 제공합니다. 날씨 지수에는 감기 가능 지수, 불쾌지수, 식중독 지수, 자외선 지수, 피부 질환 지수 등이 있습니다.
감기 가능 지수는 기상 조건(최저 기온, 일교차, 현지 기압, 상대 습도)에 따른 감기 발생 가능 정도를 지수로 나타냅니다.
자외선 지수는 하루 중 태양이 가장 높이 떠 있을 때 지표면에 도달하는 자외선량을 지수로 나타냅니다.
피부 질환 지수는 기상 조건(최고 기온, 상대 습도)에 따른 피부 질환(피부 건조증, 무좀, 두드러기) 발생 가능 정도를 지수로 나타낸 것입니다. 이런 여러 가지 날씨 지수를 확인하고 그날의 계획을 적절하게 세울 수 있습니다.

서술형 문제 54~55쪽

1 예 가습기를 틉니다. 수증기를 내어 습도를 높여야 하기 때문입니다. **2** 예 공통점은 공기 중의 수증기가 응결하여 물방울로 변하면서 나타나는 현상입니다. 차이점은 이슬은 작은 물방울이 물체 표면에 맺히는 현상이고, 안개는 작은 물방울이 공중에 떠 있는 현상입니다. **3** 예 구름 속의 얼음 알갱이의 크기가 커지면서 녹지 않은 채로 떨어지는 것이 눈이고, 기온이 높은 지역을 지나면서 녹아 떨어지는 것이 비입니다.
4 예 페트병 안 온도가 낮아집니다. 페트병 안이 뿌옇게 흐려집니다. **5** ㉠, 예 차가운 공기는 따뜻한 공기보다 일정한 부피에 공기 알갱이가 더 많아서 무겁기 때문입니다. **6** 예 낮에는 지면이 수면보다 빠르게 데워져 지면의 온도가 수면의 온도보다 높고, 밤에는 지면이 수면보다 빠르게 식어 지면의 온도가 수면의 온도보다 낮습니다. **7** 예 물 위는 고기압이 되고 모래 위는 저기압이 되어 공기가 물 쪽에서 모래 쪽으로 이동합니다. **8** ㉢, 예 따뜻하고 습합니다.

1 실내 습도가 40%에 미치지 못하면 습도가 낮은 편입니다. 습도가 낮을 때는 가습기를 틀거나 젖은 빨래를 널어 습도를 높일 수 있습니다.

채점 기준

상	습도를 조절하는 방법과 까닭을 모두 옳게 쓴 경우
중	습도를 조절하는 방법만 옳게 쓴 경우

2 이슬은 밤에 차가워진 나뭇가지나 풀잎 표면 등에 수증기가 응결해 물방울로 맺히는 것이고, 안개는 밤에 지표면 근처의 공기가 차가워지면 공기 중 수증기가 응결해 작은 물방울로 떠 있는 것이라는 점도 차이점입니다.

채점 기준

상	공통점과 차이점을 모두 옳게 쓴 경우
중	공통점과 차이점 중 한 가지만 옳게 쓴 경우

(내용 플러스)

우리 생활에서 차가운 물체의 표면에 수증기가 응결해 물방울로 맺히는 현상 예

- 목욕탕 거울이 뿌옇게 흐려집니다.
- 아이스크림이 든 포장지에 물방울이 맺힙니다.
- 안경을 쓰고 뜨거운 음료를 마시면 안경이 뿌옇게 흐려집니다.

▲ 안경에 생긴 물방울

3 구름 속의 얼음 알갱이의 크기가 커지면서 무거워져 떨어질 때 녹지 않은 채로 떨어지는 것이 눈이고, 기온이 높은 지역을 지나면서 녹은 것이 비입니다.

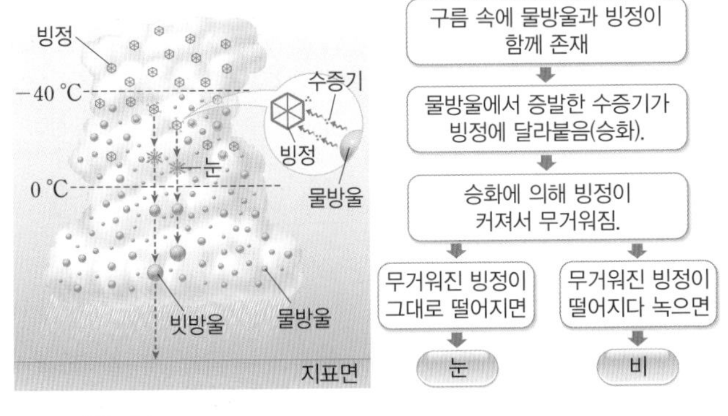

채점 기준

상	비와 눈이 내리는 과정을 모두 옳게 쓴 경우
중	비와 눈이 내리는 과정 중 한 가지만 옳게 쓴 경우

4 공기 주입 마개 뚜껑을 열면 페트병 안 온도가 낮아지면서 수증기가 응결하여 물방울로 변하는 현상이 나타납니다. 이것은 자연에서 일어나는 현상 중에서 구름이 만들어지는 현상과 비슷합니다.

채점 기준

상	온도 변화와 페트병 안에 나타나는 현상을 모두 옳게 쓴 경우
중	온도 변화와 페트병 안에 나타나는 현상 중 한 가지만 옳게 쓴 경우
하	온도 변화만 옳게 쓴 경우

(내용 플러스)

액정 온도계

액정 온도계는 현재 온도가 색깔 변화로 표시됩니다. 따라서 구름 발생 장치 내부 온도를 쉽게 읽을 수 있다는 장점이 있습니다. 현재 온도에 해당하는 곳은 초록색으로 바뀌며, 각각 다른 색으로 현재보다 높은 온도와 현재보다 낮은 온도를 나타냅니다.

5 실제 자연에서 공기 알갱이는 지역에 따라 서로 다른 밀도로 분포되어 있습니다. 일정한 부피에 공기 알갱이가 더 많으면 공기가 무겁습니다.

채점 기준

상	㉠을 쓰고, 그 까닭을 옳게 쓴 경우
중	㉠을 쓰고, 그 까닭을 썼으나 미흡한 경우
하	㉠을 쓰기만 한 경우

6 지면이 수면보다 빠르게 데워지고 빠르게 식습니다. 즉, 지면이 수면보다 온도 변화가 큽니다.

채점 기준

상	지면과 수면의 온도 변화를 모두 옳게 쓴 경우
중	지면과 수면의 온도 변화를 미흡하게 쓴 경우

7 물은 모래보다 천천히 데워져 온도가 더 낮습니다. 그러므로 물 위 공기는 고기압이 되고, 모래 위 공기는 저기압이 됩니다. 그런데 공기는 고기압에서 저기압으로 이동하므로, 향 연기가 물 쪽에서 모래 쪽으로 이동합니다.

채점 기준

상	공기의 이동을 고기압, 저기압과 관련지어 옳게 쓴 경우
중	공기의 이동을 고기압, 저기압과 관련지어 썼으나 미흡한 경우

8 우리나라 여름에 영향을 주는 공기 덩어리는 남동쪽 바다에서 이동해 오는 따뜻하고 습한 북태평양 기단(㉢)입니다.

채점 기준

상	㉢을 쓰고, 따뜻하고 습하다고 옳게 쓴 경우
중	㉢만 쓴 경우

(내용 플러스)

우리나라에 영향을 주는 기단(공기 덩어리)

기단이란 기온, 습도 등의 대기 상태가 균일한 공기 덩어리를 의미합니다.

- 시베리아 기단: 우리나라의 겨울철 날씨에 영향을 미치는 기단으로, 차갑고 건조합니다.
- 양쯔강 기단: 봄과 가을에 중국 양쯔강 유역에서 발생하는 기단으로 온도가 높고 건조합니다.
- 북태평양 기단: 북태평양에서 발생하는 따뜻하고 습한 기단으로, 초여름부터 우리나라로 세력을 확장해 옵니다.
- 오호츠크해 기단: 오호츠크해에서 발생하며 차갑고 습한 기단으로, 늦봄에 발생하여 초여름까지 우리나라에 영향을 미칩니다.

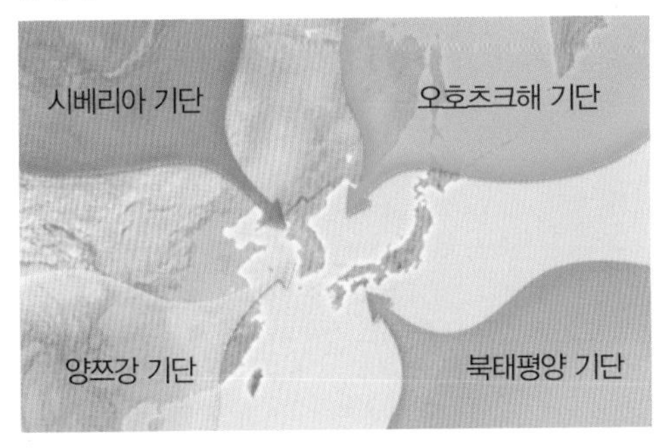

4 물체의 운동

1 운동하는 물체

탐구 문제 64쪽

1 예 (1) 예 자전거 (2) 예 나무

2 예 자전거는 1초 동안 2m를 이동했습니다.

1 물체가 운동했는지를 알려면 시간이 지남에 따라 물체의 위치가 변했는지 확인해야 합니다. 그림에서 1초 동안 위치가 변한 것은 자전거이므로 운동한 물체는 자전거뿐이고, 나무, 표지판, 약국 등은 모두 운동하지 않은 물체입니다.

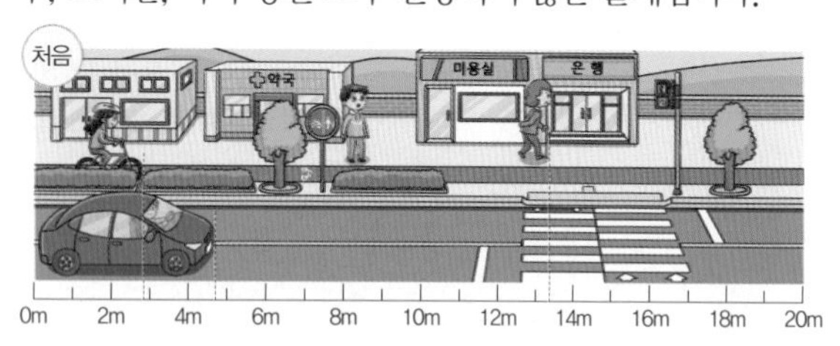

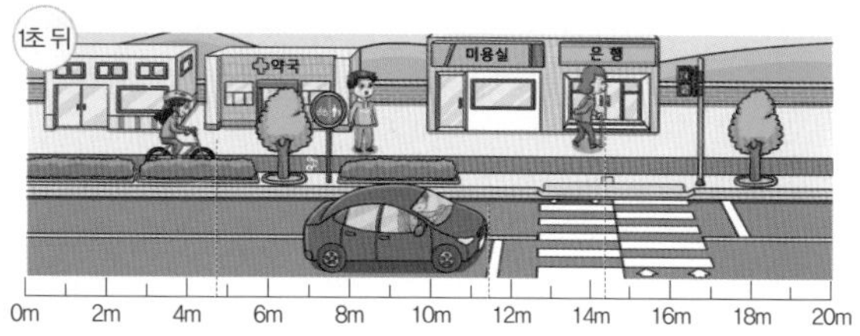

2 여러 가지 물체의 운동은 물체가 이동하는 데 걸린 시간과 이동 거리로 나타냅니다.

확인 문제 65쪽

1 위치 2 (2) ○ 3 리진 4 (1) > (2) < (3) <
5 ㉡, ㉢, ㉣ 6 (1) ○ (2) × (3) × (4) ○

1 운동하는 물체는 시간이 지남에 따라 물체의 위치가 변합니다.

(내용 플러스)

운동하는 물체와 운동하지 않는 물체 구분하기

구분	운동하는 물체	운동하지 않는 물체
뜻	시간이 지남에 따라 위치가 변하는 물체	시간이 지남에 따라 위치가 변하지 않는 물체
예	걷는 사람, 하늘을 나는 비둘기, 떨어지는 낙엽, 공을 차는 아이, 국기 게양대에서 내려지는 국기, 달리는 자동차 등	신호등, 도로 표지판, 건물, 버스 정류장, 가로등, 분수대, 동상, 연못, 국기 게양대, 주차된 자동차 등

2 물체의 운동은 물체가 이동하는 데 걸린 시간과 이동 거리로 나타냅니다.

3 물체의 운동은 물체가 이동하는 데 걸린 시간과 이동 거리로 나타냅니다. 자동차의 운동을 나타낼 때는 '자동차는 1초 동안 7m를 이동했다.'와 같이 이동하는 데 걸린 시간과 이동 거리로 나타내야 합니다.

(내용 플러스)

우리 생활에서 물체의 운동을 나타내는 예

교통수단	• 자동차는 2시간 동안 150km를 이동했다. • 기차는 3시간 동안 450km를 이동했다.
운동 경기	• 축구공은 2초 동안 40m를 날아갔다. • 육상 선수가 2시간 동안 40km를 달렸다.
동물	• 치타는 10초 동안 300m를 달렸다. • 물소는 1년 동언 3000km를 이동했다.
날씨	• 바람은 1초 동안 20m로 불었다. • 태풍은 1시간 동안 40km를 이동했다.

4 우리 주변에는 빠르게 운동하는 물체와 느리게 운동하는 물체가 있습니다. (1) 로켓은 달팽이보다 빠르게 운동하고 달팽이는 로켓보다 느리게 운동합니다. (2) 자전거는 자동차보다 느리게 운동하고, 자동차는 자전거보다 빠르게 운동합니다. (3) 개미는 치타보다 느리게 운동하고, 치타는 개미보다 빠르게 운동합니다.

(내용 플러스)

빠르기 비교

▲ 로켓 ▲ 달팽이
▲ 개미 ▲ 치타

5 물체의 빠르기가 변한다는 것은 물체가 점점 느려지는 것, 물체가 점점 빨라지는 것, 물체가 빨라지거나 느려지는 것을 말합니다. 물체의 빠르기가 일정한 것은 물체의 빠르기가 변하지 않는다는 뜻입니다.

6 롤러코스터와 배드민턴공은 빠르기가 변하는 운동을 합니다. 자동계단과 자동길은 빠르기가 일정한 운동을 합니다.

▲ 롤러코스터

▲ 배드민턴공

▲ 자동계단

▲ 자동길

(내용 플러스)

롤러코스터의 운동

롤러코스터는 레일 위를 달리도록 만들어진 놀이 기구입니다. 롤러코스터는 내리막길에서 점점 빨라지고 오르막길에서 점점 느려지는 것과 같이 빠르기가 변하는 운동을 합니다.

2 물체의 빠르기 비교

탐구 문제 68쪽

1 ㉠ 2 긴 3 ㉠, ㉢, ㉡

1 일정한 시간(4초) 동안 가장 긴 거리를 이동한 물체가 가장 빠른 물체입니다. 종이 자동차 ㉠이 이동한 거리가 100cm로 가장 깁니다.

(내용 플러스)

일정한 시간 동안 이동한 물체의 빠르기 비교

- 일정한 시간 동안 이동한 물체의 빠르기는 물체가 이동한 거리로 비교합니다.
- 일정한 시간 동안 긴 거리를 이동한 물체가 짧은 거리를 이동한 물체보다 더 빠릅니다.

2 일정한 시간(4초) 동안 이동한 거리는 종이 자동차 ㉠이 100cm, 종이 자동차 ㉡이 90cm, 종이 자동차 ㉢이 70cm입니다. 따라서 종이 자동차 ㉠이 가장 긴 거리를 이동했습니다.

3 일정한 시간 동안 이동한 거리가 가장 긴 물체가 가장 빠른 물체입니다. 일정한 시간(3초) 동안 이동한 거리는 ㉠, ㉢, ㉡ 순으로 깁니다.

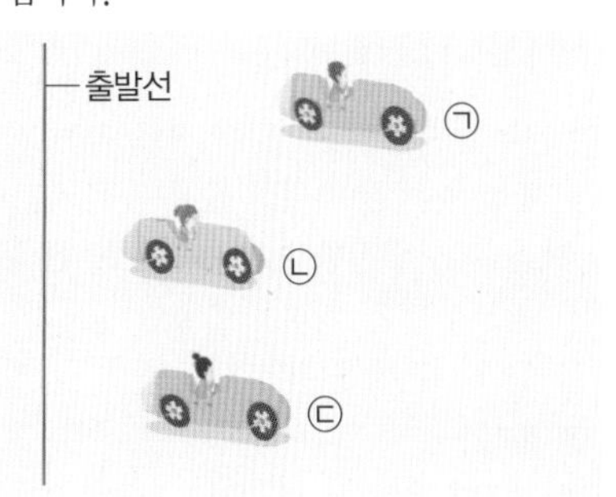

확인 문제 69쪽

1 경희 2 미미 3 정현, 9초 54
4 ㉣, ㉡, ㉤, ㉢, ㉠ 5 (1) ㉡, ㉣ (2) ㉠, ㉢, ㉤
6 ㉠ 시간 ㉡ 거리

1 일정한 거리를 이동하는 데 짧은 시간이 걸린 사람이 긴 시간이 걸린 사람보다 더 빠릅니다.

(내용 플러스)

일정한 거리를 이동한 물체의 빠르기 비교

- 일정한 거리를 이동한 물체의 빠르기는 물체가 이동하는 데 걸린 시간으로 비교합니다.
- 일정한 거리를 이동하는 데 짧은 시간이 걸린 물체가 긴 시간이 걸린 물체보다 더 빠릅니다.

2 경희는 50m를 달리는 데 가장 짧은 시간(8초 43)이 걸렸습니다. 일정한 거리를 이동하는 데 걸린 시간이 가장 짧은 사람이 가장 빠르게 달린 사람입니다.

3 정현은 50m를 이동하는 데 가장 긴 시간(9초 54)이 걸렸기 때문에 가장 느리게 달린 사람입니다.

4 일정한 시간 동안 긴 거리를 이동한 물체가 짧은 거리를 이동한 물체보다 더 빠릅니다. 3시간 동안 이동한 거리는 ㉣이 300km, ㉡이 240km, ㉤이 180km, ㉢이 120km, ㉠이 60km 순으로 깁니다.

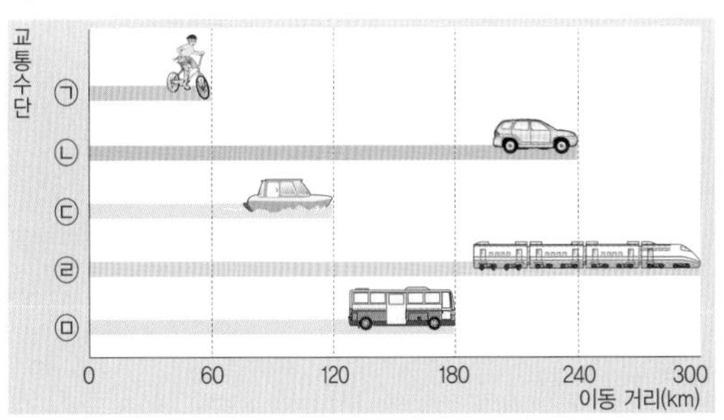

5 지하철이 3시간 동안 210km를 이동했기 때문에 3시간 동안 이동한 거리가 210km보다 긴 교통수단은 지하철보다 빠르고, 3시간 동안 이동한 거리가 10km보다 짧은 교통수단은 지하철보다 느립니다.

6 일정한 거리를 이동하는 물체의 빠르기는 일정한 거리를 이동하는 데 짧은 시간이 걸린 물체가 긴 시간이 걸린 물체보다 더 빠릅니다. 일정한 시간 동안 이동한 물체의 빠르기는 일정한 시간 동안 긴 거리를 이동한 물체가 짧은 거리를 이동한 물체보다 더 빠릅니다.

(**내용 플러스**)

일정한 거리를 이동하는 데 걸린 시간을 측정해 빠르기를 비교하는 운동 경기

구분	종목
하계 올림픽 종목	수영, 육상, 카누, 사이클, 승마, 조정, 철인 삼종 경기 등
동계 올림픽 종목	루지, 바이애슬론, 봅슬레이, 쇼트 트랙, 스피드 스케이팅, 알파인 스키 등
기타 종목	자동차 경주, 경륜, 경마 등

▲ 수영

▲ 승마

▲ 조정

▲ 경마

3 속력과 안전

72쪽

1 40km/h　**2** (1) 느리다 (2) 느리다　**3** 속력

1 배는 4시간 동안 160km를 이동했으므로, 배의 속력은 160km÷4h=40km/h입니다.

2 자전거의 속력은 18km/h입니다. 배의 속력은 40km/h (160km÷4h=40km/h)입니다. 자동차의 속력은 80km/h (240km÷3h=80km/h)입니다. 속력이 빠른 순서대로 나열하면, 자동차>배>자전거입니다.

3 이동 거리와 걸린 시간이 모두 다른 물체의 빠르기는 속력으로 나타내어 비교합니다.

(**내용 플러스**)

속력

- 속력은 1초, 1분, 1시간 등과 같이 단위 시간 동안 물체가 이동한 거리입니다.
- 속력은 물체가 이동한 거리를 걸린 시간으로 나누어 구합니다.

(속력)=(이동거리)÷(걸린 시간)

- 속력의 단위에는 km/h, m/s 등이 있습니다.
- 속력이 큰 물체가 더 빠릅니다.

73쪽

1 민지　**2** ㉡　**3** (1) ○　**4** ㉡
5 ㉠ 안전띠 ㉡ 에어백　**6** (1) × (2) ○ (3) × (4) ×

1 속력은 물체가 이동한 거리를 걸린 시간으로 나누어 구합니다.

(**내용 플러스**)

속력을 읽는 방법

- '○○km/h'는 1시간 동안에 ○○km를 이동한 물체의 속력을 나타내고, '○○킬로미터 퍼 아워' 또는 '시속 ○○킬로미터'라고 읽습니다.
- '○○m/s'는 1초 동안에 ○○m를 이동한 물체의 속력을 나타내고, '○○미터 퍼 세컨드' 또는 '초속 ○○미터'라고 읽습니다.

2 (자동차의 속력)=(이동 거리)÷(걸린 시간)
=180km÷3h=60km/h
㉠은 1초 동안에 60m를 이동, ㉢은 1초 동안에 180m를 이동, ㉣은 1시간 동안에 180km를 이동한 물체의 빠르기를 나타냅니다.

3 속력이 큰 물체가 더 빠릅니다. 더 빠른 물체는 일정한 시간 동안 더 긴 거리를 이동합니다. 더 빠른 물체는 일정한 거리를 이동하는 데 더 짧은 시간이 걸립니다.

4 풍속은 바람의 빠르기를 말합니다. ㉡의 풍속이 14m/s이므로 가장 빠를 것으로 예상되고, ㉢의 풍속이 8m/s이므로 가장 느릴 것으로 예상됩니다.

(내용 플러스)

물체의 빠르기를 속력으로 나타낸 예

- 일기 예보에서 바람의 빠르기를 속력으로 나타냅니다.
  예 태풍은 중심 부근 최대 풍속이 17.2m/s입니다.
- 여러 가지 운동 경기에서 물체의 빠르기를 속력으로 나타냅니다.
  예 야구 경기에서 투수가 던진 공의 속력이 150km/h였습니다.
- 여러 가지 동물의 빠르기를 속력으로 나타냅니다.
  예 말은 67km/h로 달립니다.
- 빛의 빠르기와 소리의 빠르기를 속력으로 나타냅니다.
  예 소리의 빠르기는 340m/s입니다.

▲ 공을 던지는 투수

▲ 달리는 말

5 안전띠는 긴급 상황에서 탑승자의 몸을 고정해 줍니다. 에어백은 충돌 사고에서 압축된 공기주머니를 빠르게 팽창시켜 탑승자의 몸에 가해지는 충격을 줄여 줍니다.

▲ 안전띠

▲ 에어백

(내용 플러스)

도로에 설치된 속력과 관련된 안전장치

- 과속 방지 턱: 자동차의 속력을 줄여서 사고를 막습니다. 일반적으로 주택가나 학교 앞 어린이 보호 구역 등에 설치합니다.
- 어린이 보호 구역 표지판: 학교 도로 주변에서 자동차의 속력을 제한해 어린이들의 교통 안전사고를 막습니다.
- 횡단보도: 보행자가 안전하게 길을 건널 수 있도록 보행자를 보호하는 구역입니다.

▲ 과속 방지 턱

▲ 어린이 보호 구역 표지판

6 (1) 바퀴 달린 신발은 도로 주변에서 타지 않고, 안전한 장소에서 탑니다.
(3) 횡단보도를 건널 때는 스마트 기기를 보지 않고 좌우를 살핍니다.
(4) 버스를 기다릴 때는 차도로 내려가지 않고, 인도에서 기다립니다.

(내용 플러스)

교통 안전사고가 나지 않도록 노력하는 사람들

교통경찰	교통 안전사고가 일어나지 않도록 자동차 운전자나 보행자가 교통 법규를 잘 지키는지 단속한다.
녹색 학부모	학교 주변에서 어린이들이 안전하게 등교하거나 하교하도록 돕는다.

단원 평가

74~77쪽

1 위치 **2** 예 자동차는 1초 동안 6m를 이동했습니다.
3 달리는 자동차 **4** ②, ⑤ **5** (3) ○
6 ㉡, ㉢, ㉣ **7** 예 출발선에서 결승선까지 이동하는 데 걸린 시간을 비교하여 순위를 정합니다. **8** ㉣
9 민수 **10** ①, ③ **11** 태엽 **12** 기차, 예 일정한 시간(3시간) 동안 가장 긴 거리(300km)를 이동했기 때문입니다. **13** 배, 자전거 **14** (1) ○
15 ㉠ 아워 ㉡ 시속 **16** ㉠ **17** 예 파란색 자동차의 속력은 80km/h이고 버스의 속력은 60km/h로 파란색 자동차가 버스보다 더 빠릅니다.
18 (1) 30km/h (2) 45m/s **19** (1) ㉠ (2) ㉢
20 ㉡, ㉣

1 시간이 지남에 따라 물체의 위치가 변할 때 물체가 운동한다고 합니다. 물체의 운동은 물체가 이동하는 데 걸린 시간과 이동 거리로 나타냅니다.

2 물체의 운동은 걸린 시간과 이동 거리로 나타냅니다.
채점 TIP 걸린 시간과 이동 거리를 모두 옳게 쓰면 정답으로 합니다.

(내용 플러스)

긴 거리를 이동하는 철새

철새는 수십 일에 걸쳐 수백 킬로미터의 거리를 이동합니다. 이러한 철새의 운동을 걸린 시간과 이동 거리로 나타낼 수 있습니다.

예 '청둥오리는 180일 동안 850km를 이동했다.'라고 나타냅니다.

3 운동하는 물체는 시간이 지남에 따라 위치가 변하는 물체입니다. 운동하지 않는 물체는 시간이 지남에 따라 위치가 변하지 않는 물체입니다. 달리는 자동차는 시간이 지남에 따라 위치가 변하기 때문에 운동하는 물체입니다.

(내용 플러스)

운동 개념의 차이

학생들이 일상적으로 사용하는 운동의 뜻은 과학에서 사용하는 운동의 뜻과 다릅니다. 일상생활에서 운동은 건강을 생각해서 사람의 몸을 단련하는 일이고, 과학에서는 시간이 지남에 따라 물체의 위치가 변할 때 물체가 운동한다고 합니다.

4 ② 개미는 사람보다 느리게 운동합니다. ⑤ 비행기는 자동차보다 빠르게 운동합니다.

5 놀이공원에 있는 여러 가지 놀이 기구 중 바이킹, 롤러코스터, 범퍼카는 빠르기가 변하는 운동을 합니다.

▲ 바이킹

▲ 롤러코스터

(내용 플러스)

범퍼카의 운동

범퍼카는 서로 부딪치면서 놀 수 있는 전기 자동차입니다. 자동차 범퍼에 고무로 이루어진 충격을 완화하는 장치가 부착되어 있습니다. 범퍼카의 가속 발판을 밟으면 속력이 점점 빨라지는데, 이때 다른 차와 부딪치면 빠르기가 갑자기 느려집니다.

6 ㉡ 자동길, ㉢ 케이블카, ㉣ 자동계단은 이동할 때 빠르기가 일정한 운동을 합니다. ㉠ 물수리는 빠르게 이동하다가 멈출 때가 있기 때문에 빠르기가 변하는 운동을 합니다. ㉤ 롤러코스터는 내리막길에서 점점 빨라지고 오르막길에서 점점 느려지기 때문에 빠르기가 변하는 운동을 합니다. ㉥ 컬링 스톤은 빠르게 이동하다 서서히 멈추기 때문에 빠르기가 변하는 운동을 합니다.

▲ 빠르기가 일정한 운동을 하는 케이블카

▲ 빠르기가 변하는 운동을 하는 컬링 스톤

(내용 플러스)

빠르기가 일정한 운동을 하는 놀이 기구

- 대관람차: 대관람차는 거대한 바퀴 둘레에 작은 방 여러 개가 매달려 회전하는 놀이 기구입니다. 높은 곳에서 주변 경관을 바라보려고 일정한 빠르기로 회전합니다.
- 순환 열차: 순환 열차는 관람객을 태우고 천천히 이동하면서 놀이공원을 순환하는 열차입니다. 놀이공원뿐만 아니라 민속촌이나 시내 등에서도 관람을 목적으로 운용하는 경우가 많습니다. 순환 열차는 레일을 따라 일정한 빠르기로 이동합니다.

▲ 대관람차

▲ 순환 열차

7 일정한 거리를 이동한 물체의 빠르기는 물체가 이동하는 데 걸린 시간으로 비교합니다.
조정은 물에서 일정한 거리를 이동하는 데 걸린 시간으로 빠르기를 겨루는 운동입니다. 마라톤은 육상 경기로 42.195km를 달리는 장거리 경주입니다. 조정과 마라톤 둘 다 출발선에서 동시에 출발해 결승선까지 이동하는 데 걸린 시간으로 순위를 정합니다.

▲ 조정

▲ 마라톤

채점 TIP 순위를 정하는 방법을 옳게 쓰면 정답으로 합니다.

8 일정한 거리를 이동하는 물체의 빠르기는 물체가 이동하는 데 걸린 시간으로 비교합니다. 일정한 거리를 이동하는 데 짧은 시간이 걸린 물체가 긴 시간이 걸린 물체보다 더 빠릅니다.

자유형 50m

순위	이름	걸린 시간
1	홍○○	28초 50
2	박○○	28초 75
3	이○○	29초 05
4	김○○	29초 20
5	양○○	30초 50
6	최○○	31초 20

▲ 수영 경기의 순위와 기록

9 걸린 시간을 비교해 물체의 빠르기를 비교할 수 있습니다. 걸린 시간이 짧을수록 빠르기 때문에 빠르게 달린 순서는 우희, 미진, 민수, 지영, 호철이입니다. 세 번째로 빠르게 달린 사람은 민수입니다.

10 일정한 거리를 이동해 빠르기를 비교하는 경기에는 조정, 마라톤, 스피드 스케이팅, 쇼트 트랙, 사이클, 카약, 카누 등이 있습니다.

11 일정한 시간 동안 가장 긴 거리를 이동한 장난감 자동차가 가장 빠릅니다. 4초 동안 110cm를 이동한 태엽자동차가 가장 빠르고, 4초 동안 50cm를 이동한 종이 자동차가 가장 느립니다.

12 그래프를 보면 기차, 자동차, 시내버스, 배, 자전거 순으로 빠릅니다.

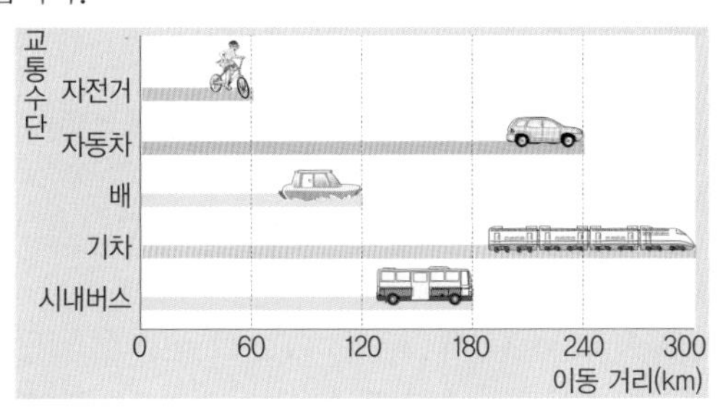

채점 TIP 기차를 쓰고 까닭을 옳게 쓰면 정답으로 합니다.

13 1시간 동안 50km를 이동하는 관광버스는 3시간 동안 150km를 이동합니다. 3시간 동안 150km보다 짧은 거리를 이동한 교통수단이 관광버스보다 느린 교통수단입니다. 따라서 관광버스보다 느린 교통수단은 배, 자전거입니다.

14 일정한 시간 동안 이동한 물체의 빠르기는 물체가 이동한 거리로 비교할 수 있습니다. 일정한 시간 동안 긴 거리를 이동한 물체가 짧은 거리를 이동한 물체보다 더 빠릅니다.

내용 플러스

이동 거리를 비교해 승부를 겨루는 운동 경기

스피드 스케이팅의 팀 추월 경기는 두 팀이 서로 상대방의 뒤를 쫓는 경기입니다. 개인 또는 소수의 팀원으로 구성된 서로 다른 팀이 경주로의 반대편에서 동시에 출발해 상대 팀을 추월하면 승리합니다. 즉, 같은 시간 동안 더 먼 거리를 이동한 팀이 승리하는 경기입니다.

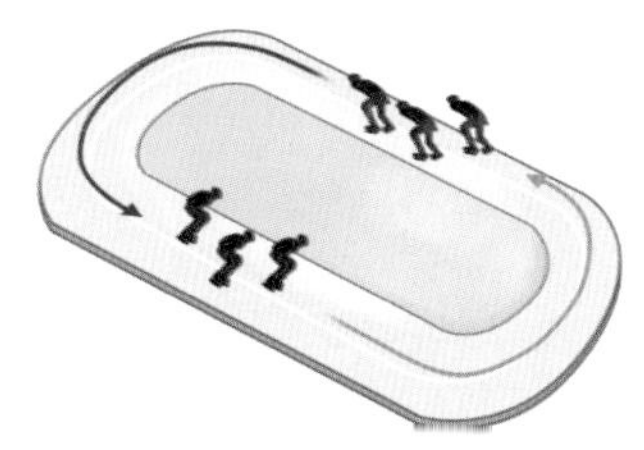

▲ 스피드 스케이팅의 팀 추월 경기

15 50km/h는 1시간 동안 50km를 이동한 물체의 속력을 나타냅니다. 50km/h에서 'km'는 거리를 나타내는 단위로 '킬로미터'라고 읽고, '/'는 'per(퍼)'라고 읽으며, '에 대하여'라는 뜻입니다. 'h'는 시간을 나타내는 단위로 '아워'라고 읽습니다. 50km/h는 물체가 1시간 동안에 'km' 단위로 이동한 거리를 나타내기 때문에 '시속 오십 킬로미터'라고 읽습니다.

16 현수의 속력은 6km÷3h=2km/h이고, 민지의 속력은 3km÷2h=1.5 km/h입니다. 따라서 현수가 민지보다 더 빠르게 이동했습니다.

내용 플러스

속력이 크다는 것은 무슨 뜻일까?

- 물체가 빠르다는 뜻입니다.
- 일정한 시간 동안 더 긴 거리를 이동한다는 뜻이고 일정한 거리를 이동하는 데 더 짧은 시간이 걸린다는 뜻입니다.

17 파란색 자동차는 3시간 동안 240km를 이동했기 때문에 속력은 240km÷3h=80km/h입니다. 버스는 1시간 동안 60km를 이동했기 때문에 60km÷1h=60km/h입니다.
또 배는 4시간 동안 160km를 이동했기 때문에 속력은 160km÷4h=40km/h이고, 기차는 2시간 동안 280km를 이동했기 때문에 280km÷2h=140km/h입니다.

채점 TIP 교통수단 두 가지를 골라 속력을 옳게 구하고 비교하여 쓰면 정답으로 합니다.

18 태풍은 14시부터 22시까지 8시간 동안 240km를 이동할 것으로 예상하기 때문에 태풍의 속력은 240km÷8h=30km/h입니다. 바람은 10초에 450m를 이동하기 때문에 바람의 속력은 450m÷10s=45m/s입니다.

19 ㉡에어백은 공기주머니를 팽창시켜 사람의 몸을 보호합니다. ㉣횡단보도는 사람이 건너다닐 수 있게 차도 위에 마련한 길입니다.

20 ㉡교통경찰은 자동차 운전자나 보행자가 교통 법규를 잘 지키는지 단속합니다. ㉣녹색 학부모는 학교 주변에서 어린이들이 안전하게 등교하거나 하교하도록 돕습니다.

서술형 문제

78~79쪽

1 예 시간이 지남에 따라 물체의 위치가 변할 때 물체가 운동한다고 합니다. 물체의 운동은 물체가 이동하는 데 걸린 시간과 이동 거리로 나타냅니다. **2** 진주, 예 물체의 운동은 물체가 이동하는 데 걸린 시간과 이동 거리로 나타내야 하기 때문입니다. **3** 예 롤러코스터는 위로 올라갈 때에 점점 빨라지며 빠르기가 변하는 운동을 하고, 대관람차는 일정한 빠르기로 회전하며 빠르기가 일정한 운동을 합니다. **4** 황수, 예 일정한 거리를 이동하는 데 가장 긴 시간이 걸렸기 때문입니다. **5** 열차, 예 일정한 시간 동안 더 긴 거리를 이동한 열차가 짧은 거리를 이동한 자동차보다 더 빠르기 때문입니다. **6** 예 속력은 1초, 1분, 1시간 등과 같은 단위 시간 동안 물체가 이동한 거리를 말합니다. 물체가 이동한 거리를 걸린 시간으로 나누어 구합니다. **7** 배, 예 더 빠르다는 의미입니다. **8** 예 도로 주변에서 공놀이를 합니다. 도로 주변에서 공은 공 주머니에 넣고 다닙니다.

1 과학에서 물체가 운동한다는 것은 시간이 지남에 따라 물체의 위치가 변한다는 것을 의미합니다. 물체의 운동은 물체가 이동하는 데 걸린 시간과 이동 거리를 나타냅니다.

채점 기준

상	물체가 운동한다는 의미와 물체의 운동을 나타내는 방법을 모두 옳게 쓴 경우
하	물체가 운동한다는 의미만 옳게 쓴 경우

2 진주의 운동은 위치가 변하지 않았기 때문에, '나는 ○○분 동안 위치가 변하지 않았다.'라고 나타낼 수 있습니다.

채점 기준

상	진주를 쓰고, 까닭을 옳게 쓴 경우
하	진주만 쓴 경우

3 빠르기가 변하는 운동을 하는 놀이 기구에는 롤러코스터, 바이킹, 범퍼카 등이 있습니다. 빠르기가 변하지 않는 운동을 하는 놀이 기구에는 대관람차, 순환 열차, 회전 목마 등이 있습니다.

▲ 범퍼카

▲ 회전목마

채점 기준

상	빠르기가 변하는 운동과 빠르기가 일정한 운동을 모두 옳게 쓴 경우
하	빠르기가 변하는 운동과 빠르기가 일정한 운동 중 한 가지만 옳게 쓴 경우

4 일정한 거리를 이동한 물체의 빠르기는 물체가 이동하는 데 걸린 시간으로 비교합니다.

채점 기준

상	황수를 쓰고, 까닭을 옳게 쓴 경우
중	황수를 쓰고, 까닭을 미흡하게 쓴 경우
하	황수만 쓴 경우

5 일정한 시간 동안 이동한 물체의 빠르기는 물체가 이동한 거리로 비교할 수 있습니다.

채점 기준

상	열차를 쓰고, 까닭을 옳게 쓴 경우
중	열차를 쓰고, 까닭을 미흡하게 쓴 경우
하	열차만 쓴 경우

(내용 플러스)

동물의 빠르기 측정

동물학자는 야생에서 쉽게 사용할 수 있는 방법으로 여러 가지 동물의 빠르기를 측정합니다.

- 치타: 야생에서 달리는 치타의 빠르기를 측정하려면 달리는 치타를 1초 간격으로 2회 사진을 찍습니다. 치타의 몸통 길이와 사진 두 장에 나타난 이동 거리를 비교해 1초 동안 치타가 이동한 거리를 알 수 있습니다.
- 개: 개가 좋아하는 장난감을 줄에 매달아 자전거를 타고 운동장을 달리면 개가 직선을 따라 달립니다. 개가 달릴 때 빠르기를 측정하려면 개를 출발선보다 뒤쪽에서 출발시켜야 합니다. 개가 출발선을 통과할 때부터 시간을 측정해 10초가 될 때의 위치를 사진으로 찍어 둡니다. 그리고 10초 동안 개가 이동한 거리를 줄자로 재어 개의 빠르기를 측정합니다.

6 속력은 물체가 이동한 거리를 걸린 시간으로 나누어 구합니다. (속력)=(이동 거리)÷(걸린 시간)

채점 기준

상	속력의 뜻과 구하는 방법을 모두 옳게 쓴 경우
하	속력의 뜻과 구하는 방법 중 한 가지만 옳게 쓴 경우

7 배의 속력이 40km/h이고 자전거의 속력이 20km/h이기 때문에 배의 속력이 자전거의 속력보다 더 큽니다. 속력이 큰 물체가 더 빠릅니다. 속력이 크고 더 빠르다는 것은 일정한 거리를 이동하는 데 더 짧은 시간이 걸린다는 뜻입니다.

▲ 배의 속력: 40km/h

▲ 자전거의 속력: 20km/h

채점 기준

상	배를 쓰고, 의미를 옳게 쓴 경우
하	배만 쓴 경우

8 버스를 기다릴 때 차도로 내려간 행동도 위험한 행동입니다. 버스는 인도에서 기다려야 합니다.

채점 기준

상	위험한 행동과 어떻게 고쳐야 할지를 옳게 쓴 경우
하	위험한 행동만 쓴 경우

(내용 플러스)

도로 주변에서 어린이 교통안전을 위해 어른들이 지켜야 할 교통안전 수칙 예

- 학교 주변이나 어린이 보호 구역에서 자동차를 운전할 때는 속력을 30km/h 이하로 줄이고, 도로에 어린이가 있는지 잘 살핍니다.
- 어린이가 통행하는 장소에서는 어린이가 길을 완전히 건널 때까지 기다립니다.

속력과 관련된 안전 수칙을 지켜야 하는 까닭

- 속력이 클수록 충돌할 때 큰 충격이 가해져 다칠 수 있기 때문입니다.
- 속력이 크면 위험 상황이 발생했을 때 바로 대처하기 어렵기 때문입니다.

5 산과 염기

1 용액의 분류

탐구 문제 88쪽

1 식초, 레몬즙, 사이다, 묽은 염산 2 지시약
3 예 붉은색으로 변합니다.

1 푸른색 리트머스 종이를 붉은색으로 변하게 하는 용액을 산성 용액이라고 합니다. 붉은색 리트머스 종이를 푸른색으로 변하게 하는 용액을 염기성 용액이라고 합니다.

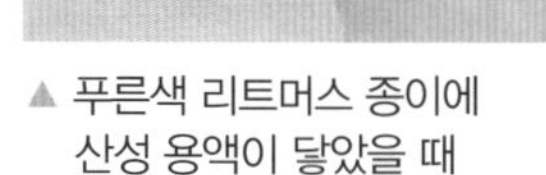
▲ 푸른색 리트머스 종이에 산성 용액이 닿았을 때

▲ 붉은색 리트머스 종이에 염기성 용액이 닿았을 때

2 리트머스 종이, 자주색 양배추 지시약, 페놀프탈레인 용액 등의 지시약을 이용하면 산성 용액과 염기성 용액을 분류할 수 있습니다.

내용 플러스

지시약
- 어떤 용액을 만났을 때에 그 용액의 성질에 따라 눈에 띄는 변화가 나타나는 물질입니다.
- 지시약으로 물질의 성질을 알아볼 수 있습니다.
- 지시약으로 여러 가지 용액을 효과적으로 분류할 수 있습니다.
- 지시약의 종류: 리트머스 종이, 페놀프탈레인 용액, 자주색 양배추 지시약 등

3 붉은색 리트머스 종이가 푸른색으로 변한 용액은 염기성 용액입니다. 염기성 용액에 페놀프탈레인 용액을 떨어뜨리면 페놀프탈레인 용액의 색깔이 붉은색으로 변합니다.

◀ 염기성 용액에서 페놀프탈레인 용액의 색깔 변화

확인 문제 89쪽

1 (2) ○ 2 ㉡ 3 석회수 4 ㉣
5 석회수, 유리 세정제 6 식초, 레몬즙, 사이다, 묽은 염산

1 식초는 연한 노란색이고 투명하며 냄새가 납니다. 레몬즙은 연한 노란색이고 불투명하며 냄새가 납니다. 사이다는 무색이고 투명하며 냄새가 납니다.

▲ 식초 ▲ 레몬즙 ▲ 사이다

2 색깔이 있는 용액과 색깔이 없는 용액으로 분류한 결과입니다. 식초, 레몬즙, 유리 세정제, 빨랫비누 물은 색깔이 있습니다.

내용 플러스

용액을 분류하는 방법
- 용액의 성질을 관찰한 뒤 분류 기준을 세우고 분류 기준에 따라 용액을 관찰합니다.
- 분류 기준을 세울 때 여러 가지 용액의 공통점과 차이점을 먼저 생각해 보는 것도 분류 기준을 세우는 데 도움이 됩니다. 예를 들어, 사이다, 석회수, 묽은 염산, 묽은 수산화 나트륨 용액은 색깔이 없다는 공통점이 있지만, 식초와 레몬즙은 연한 노란색, 유리 세정제는 연한 푸른색, 빨랫비누 물은 하얀색을 띠고 있어 위 용액들과 차이가 있습니다.

3 석회수는 투명한 용액이고 레몬즙, 빨랫비누 물은 불투명한 용액입니다.

4 식초, 사이다, 묽은 염산은 붉은색 리트머스 종이에 떨어뜨렸을 때 색깔 변화가 없습니다. 묽은 수산화 나트륨 용액은 붉은색 리트머스 종이에 떨어뜨렸을 때 푸른색으로 색깔이 변합니다.

5 식초, 레몬즙, 사이다는 페놀프탈레인 용액을 떨어뜨렸을 때 색깔이 변하지 않습니다. 석회수, 유리 세정제는 페놀프탈레인 용액을 떨어뜨렸을 때 붉게 변합니다.

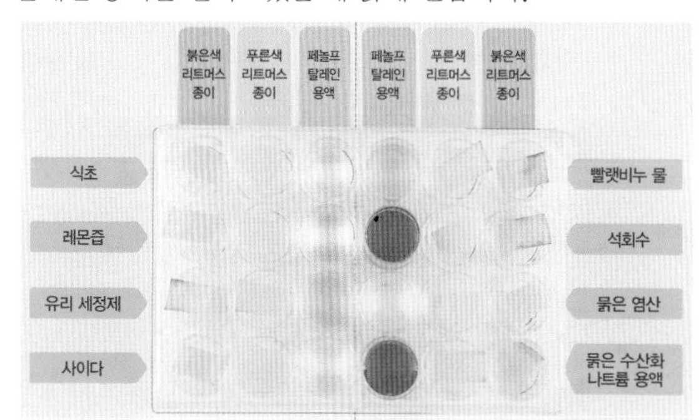

▲ 여러가지 용액에 의한 리트머스 종이와 페놀프탈레인 용액의 색깔 변화

6 식초, 레몬즙, 사이다, 묽은 염산은 산성 용액이기 때문에 자주색 양배추 지시약을 떨어뜨렸을 때 붉은색 계열로 변합니다. 석회수, 유리 세정제, 묽은 수산화 나트륨 용액은 염기성 용액이기 때문에 자주색 양배추 지시약을 떨어뜨렸을 때 푸른색이나 노란색 계열의 색깔로 변합니다.

산성이 강함. ⟷ 염기성이 강함.

▲ 자주식 양배추 지시약의 색깔 변화표

(내용 플러스)

산성 용액에 염기성 용액을 넣을수록 산성이 점점 약해지고, 염기성 용액에 산성 용액을 넣을수록 염기성이 점점 약해집니다. 그 까닭은 섞은 용액 속에 있는 산성을 띠는 물질과 염기성을 띠는 물질이 서로 짝을 맞추면서 각각의 성질을 잃어버리기 때문입니다.

2 산성 용액과 염기성 용액

92쪽

1 붉은색　　**2** (1) ○

1 묽은 염산에 자주색 양배추 지시약을 떨어뜨리면 붉은색 계열의 색깔이 됩니다.

(내용 플러스)

자주색 양배추 지시약을 만드는 방법

- 방법 1
  ① 자주색 양배추를 가위나 손으로 적당한 크기로 잘라 비커에 담습니다.
  ② 비커에 자주색 양배추가 잠길 정도로 물을 붓습니다.
  ③ 자주색 양배추가 든 비커를 가열해 양배추의 색깔을 우려 냅니다.
  ④ 자주색 양배추를 우려낸 용액을 충분히 식힙니다. 그런 뒤 체로 걸러 내어 점적병에 담아 사용합니다.

〈실험할 때 유의점〉
- 가위로 자주색 양배추를 자를 때 안전에 유의합니다.
- 알코올램프 또는 휴대용 가스레인지를 사용할 때 화상을 입지 않도록 주의합니다.

- 방법 2: 자주색 양배추 지시약을 만들 때 가열하지 않고 60℃ 이상의 뜨거운 물을 부어서 만들 수도 있습니다.
- 방법 3: 자주색 양배추를 잘게 잘라 믹서에 넣고 간 뒤 천 또는 거름망에 걸러서 만들 수 있습니다.

2 묽은 염산에 묽은 수산화 나트륨 용액을 넣으면 묽은 염산의 성질이 점점 약해지고, 묽은 수산화 나트륨 용액에 묽은 염산을 넣으면 묽은 수산화 나트륨의 성질이 점점 약해집니다.

93쪽

1 (1) ○　　**2** ㉣　　**3** ⑤　　**4** 소석회
5 노란색　　**6** 라희

1 ㉠ 용액은 산성 용액입니다. 산성 용액에 대리석 조각을 넣으면 기포가 발생하면서 대리석 조각이 녹습니다. 자주색 양배추 지시약은 산성 용액에서는 붉은색 계열의 색깔로 변합니다.

(내용 플러스)

산성 용액에 달걀 껍데기를 넣으면 기포가 발생하면서 바깥쪽 껍데기가 녹아 없어집니다. 산성 용액에 대리석 조각을 넣으면 기포가 발생하면서 대리석 조각이 녹습니다. 이때 발생하는 기포는 이산화 탄소입니다.

▲ 산성 용액+달걀 껍데기

▲ 산성 용액+대리석

2 염기성 용액에 삶은 달걀 흰자를 넣으면 시간이 지나면서 삶은 달걀 흰자가 녹아 흐물흐물해집니다.

▲ 묽은 염산+삶은 달걀 흰자

▲ 묽은 수산화 나트륨 용액+삶은 달걀 흰자

3 산성을 띠는 물질과 염기성을 띠는 물질이 서로 짝을 맞추면서 각각의 성질을 잃어버려 용액의 성질이 약해집니다.

4 염기성인 소석회를 뿌려 염산의 산성을 약하게 만듭니다. 소석회는 수산화 칼슘이라고도 하며, 물에 녹여 석회수를 만들기도 합니다.

5 묽은 수산화 나트륨 용액은 염기성 용액이기 때문에 자주색 양배추 지시약을 떨어뜨리면 노란색으로 변합니다.

(내용 플러스)

자주색 양배추 지시약을 여러 가지 용액에 떨어뜨리면 용액의 색깔이 다르게 나타납니다. 그 까닭은 용액의 성질에 따라 자주색 양배추에 들어 있는 물질이 서로 다른 색깔을 나타내기 때문입니다. 자주색 양배추 지시약은 산성 용액에서는 붉은색 계열의 색깔로 변하고, 염기성 용액에서는 푸른색이나 노란색 계열의 색깔로 변합니다.

6 페놀프탈레인 용액의 색깔을 변하지 않게 하는 용액은 산성 용액입니다. 페놀프탈레인 용액의 색깔을 붉은색으로 변하게 하는 용액은 염기성 용액입니다. 요구르트는 산성 용액이고, 물에 녹인 치약은 염기성 용액입니다. 요구르트를 마시면 입안이 산성 환경이 되는데, 염기성인 치약으로 양치질을 하면 입안의 산성 물질을 없애 세균의 활동을 막을 수 있습니다.

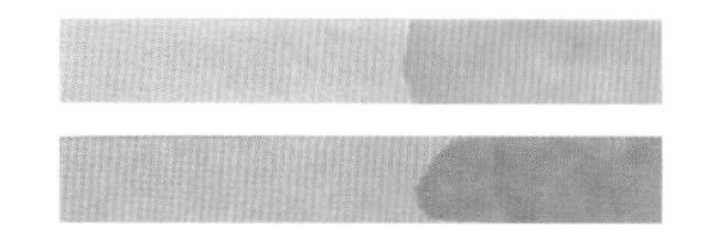

▲ 리트머스 종이에 요구르트를 묻혔을 때

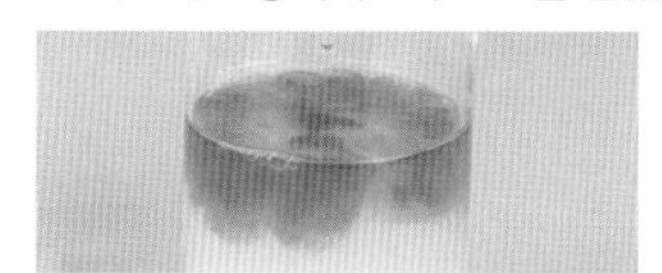

▲ 물에 녹인 치약에 페놀프탈레인 용액을 떨어뜨렸을 때

94~97 쪽

1 (1) 식초, 레몬즙, 유리 세정제 (2) 석회수, 묽은 염산, 묽은 수산화 나트륨 용액 **2** (1) ○ **3** 진용, 상현 **4** 묽은 염산 **5** (1) 묽은 수산화 나트륨 용액 (2) 유리 세정제 **6** ㉠ 염기성 ㉡ 붉은색 **7** 예 어떤 용액을 만났을 때에 그 용액의 성질에 따라 눈에 띄는 변화가 나타나는 물질입니다. **8** ㉣ **9** ② **10** (2) ○ (3) ○ **11** ①, ③ **12** (1) 염 (2) 산 **13** 예 산성 물질이 포함된 비가 내리면 대리석으로 만든 석탑이 훼손될 수 있기 때문입니다. **14** ④ **15** (1) 2 (2) 1 (3) 3 **16** (1) × (2) ○ (3) × (4) ○ **17** 염기성 **18** ㉠ **19** 민희 **20** ㉠ 염기성 ㉡ 산성

1 식초, 레몬즙, 유리 세정제는 색깔이 있습니다. 식초와 레몬즙은 연한 노란색이고, 유리 세정제는 연한 푸른색입니다.

▲ 식초 ▲ 레몬즙 ▲ 유리 세정제

2 (2) 특정 용액의 냄새가 정확히 무엇이라고 표현하기는 매우 어렵습니다. 또 '향긋하다.'는 느낌이기 때문에 기준으로 적합하지 않습니다.
(3) 용액이 담긴 병의 특징은 용액을 분류하는 기준이 될 수 없습니다.

3 용액을 분류할 수 있는 기준에는 '색깔이 있는가?', '투명한가?', '냄새가 나는가?', '흔들었을 때 거품이 3초 이상 유지되는가?' 등이 있습니다. 하지만 용액을 관찰하여 알게 된 겉보기 성질만으로 용액을 분류하면 무색이고 투명한 용액은 쉽게 구분되지 않아 분류하기 어렵습니다. 또 어떤 용액들은 냄새를 맡기 어려워 분류하기 어렵습니다.

4 푸른색 리트머스 종이를 붉은색으로 변화시키는 용액은 산성 용액입니다. 유리 세정제, 묽은 수산화 나트륨 용액은 염기성 용액입니다.

산성 용액에서 리트머스 종이의 색깔 변화	염기성 용액에서 리트머스 종이의 색깔 변화
▲ 푸른색 리트머스 종이	▲ 푸른색 리트머스 종이
▲ 붉은색 리트머스 종이	▲ 붉은색 리트머스 종이

5 (나), (다)는 붉은색 리트머스 종이를 푸른색으로 변하게 하는 용액이기 때문에 염기성 용액입니다. 묽은 수산화 나트륨 용액은 무색 투명하고, 냄새가 나지 않으며 용액을 흔들었을 때 거품이 3초 이상 유지되지 않습니다. 유리 세정제는 연한 푸른색이고 투명하며, 냄새가 나고 용액을 흔들었을 때 거품이 3초 이상 유지됩니다.

6 묽은 염산, 식초, 레몬즙, 사이다와 같은 용액을 산성 용액이라고 합니다. 염기성 용액은 페놀프탈레인 용액을 붉은색으로 변화시킵니다.

▲ 염기성 용액에 페놀프탈레인 용액을 떨어뜨렸을 때

7 용액의 색깔, 투명한 정도 등과 같은 겉보기 성질만으로 분류하기 어려운 용액들은 지시약을 이용하면 효과적으로 분류할 수 있습니다.

채점 TIP 지시약을 옳게 설명하여 쓰면 정답으로 합니다.

(내용 플러스)

지시약은 용액의 성질에 따라 색이 변하는 물질로, 용액의 성질을 구분하는 데 쓰입니다. 리트머스 종이, 페놀프탈레인 용액, 메틸 오렌지 용액, BTB 용액 등이 지시약입니다.

[산성 용액에서 지시약의 색깔 변화]

지시약	리트머스 종이	페놀프탈레인 용액	메틸 오렌지 용액	BTB 용액
색깔 변화	푸른색 → 붉은색	무색	붉은색	노란색

[염기성 용액에서 지시약의 색깔 변화]

지시약	리트머스 종이	페놀프탈레인 용액	메틸 오렌지 용액	BTB 용액
색깔 변화	붉은색 → 푸른색	붉은색	노란색	푸른색

8 리트머스 종이, 자주색 양배추 지시약, 페놀프탈레인 용액 등의 지시약을 이용하면 용액을 산성 용액과 염기성 용액으로 분류할 수 있습니다. 설탕물 용액, 소금물 용액, 과일 주스 용액으로는 여러 가지 용액을 산성 용액과 염기성 용액으로 분류할 수 없습니다.

9 자주색 양배추 지시약은 산성 용액에서 붉은색 계열의 색깔로 변합니다. 석회수는 푸른색 계열의 색깔로 변했기 때문에 염기성 용액입니다.

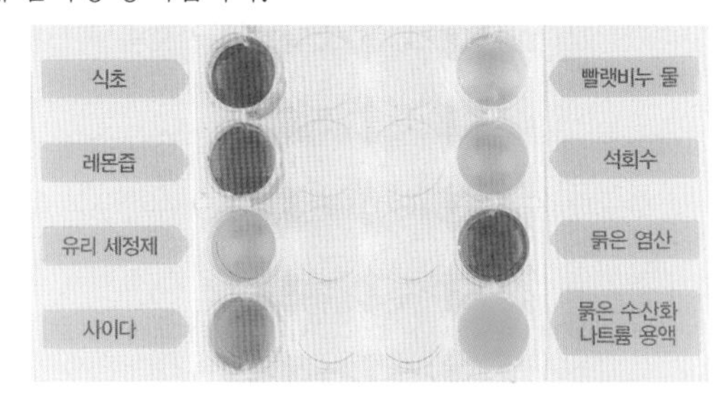

▲ 여러가지 용액에서 자주색 양배추 지시약의 색깔 변화

10 (가) 용액은 자주색 양배추 지시약을 푸른색 계열로 변화시켰기 때문에 염기성 용액입니다.

(2) 염기성 용액을 붉은색 리트머스 종이에 떨어뜨리면 붉은색 리트머스 종이가 푸른색으로 변합니다.

(3) 염기성 용액을 푸른색 리트머스 종이에 떨어뜨리면 색깔 변화가 없습니다.

11 달걀 껍데기를 넣었을 때 기포가 발생하면서 바깥쪽 껍데기가 녹는 용액은 산성 용액입니다. ㉠ 용액이 산성 용액이기 때문에 비슷한 성질을 가진 용액은 식초, 레몬즙, 묽은 염산 등입니다. 석회수와 묽은 수산화 나트륨 용액은 염기성 용액입니다. 염기성 용액에 달걀 껍데기를 넣으면 아무런 변화가 없습니다.

▲ 산성 용액+달걀 껍데기

▲ 염기성 용액+달걀 껍데기

12 두부를 산성 용액에 넣으면 아무런 변화가 없습니다. 두부를 염기성 용액에 넣으면 두부가 녹아 흐물흐물해지며 용액이 뿌옇게 흐려집니다.

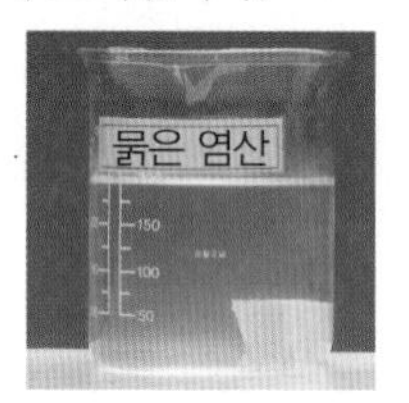

▲ 산성 용액+두부 ▲ 염기성 용액+두부

13 산성 용액에 대리석 조각을 넣으면 기포가 발생하면서 대리석 조각이 녹습니다. 같은 까닭으로 산성 물질이 포함된 비가 내리면 대리석으로 만든 석탑이 녹을 수 있습니다.

채점 TIP 산성 물질이 포함된 비나 새의 배설물 등이 대리석을 훼손한다는 내용을 포함하여 쓰면 정답으로 합니다.

14 ㉠은 산성 용액이고, ㉡은 염기성 용액입니다. 삶은 달걀 흰자는 산성 용액에서 변화가 없고, 염기성 용액에서 녹아 흐물흐물해지기 때문입니다. 페놀프탈레인 용액은 산성에서 변화가 없고, 염기성 용액에서 붉은색으로 변합니다.

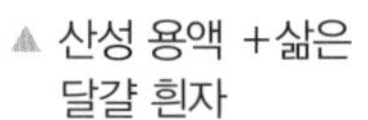

▲ 산성 용액 +삶은 달걀 흰자 ▲ 염기성 용액+삶은 달걀 흰자

15 묽은 염산에 묽은 수산화 나트륨 용액을 넣을수록 자주색 양배추 지시약의 색깔이 푸른색 계열로 변합니다.

▲ 자주색 양배추 지시약의 색깔 변화

16 (1) 산성 용액에 염기성 용액을 넣을수록 산성이 점점 약해집니다.
(3) 묽은 염산을 6회 이상 계속 넣으면 산성이 강해지기 때문에 붉은색 계열의 색깔로 변합니다.

[산성 용액과 염기성 용액을 섞으며 자주색 양배추 지시약의 색깔 변화 관찰하기]

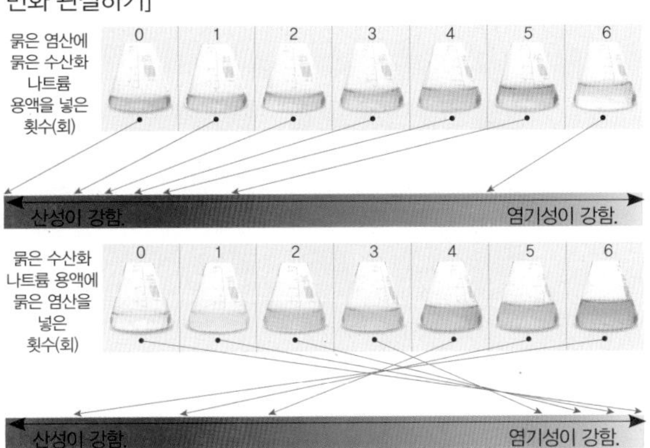

묽은 수산화 나트륨 용액에 묽은 염산을 넣은 횟수(회) 0 1 2 3 4 5 6

산성이 강함. 염기성이 강함.

17 산성인 위산에 염기성인 제산제가 더해지면 산성이 약해져서 속이 쓰린 것을 완화할 수 있습니다.

(내용 플러스)

우리 생활에서 산성 용액과 염기성 용액을 이용하는 예

산성 용액을 이용하는 예	염기성 용액을 이용하는 예
• 생선을 손질한 도마를 닦을 때 식초를 사용한다. • 변기를 청소할 때 변기용 세제를 사용한다.	• 속이 쓰릴 때 제산제를 먹는다. • 하수구가 막혔을 때 하수구 세정제를 사용한다. • 욕실을 청소할 때 표백제를 사용한다.

18 생선을 손질한 도마를 식초로 닦아 내고, 변기를 청소할 때 변기용 세제를 사용하는 것은 산성 용액을 사용하는 예입니다. 욕실을 청소할 때에 표백제를 사용하는 것은 염기성 용액을 사용하는 예입니다.

19 요구르트를 묻힌 푸른색 리트머스 종이가 붉은색으로 변했고, 붉은색 리트머스 종이는 변화가 없었습니다. 푸른색 리트머스 종이를 붉은색으로 변화시키는 용액은 산성 용액입니다.

▲ 푸른색 리트머스 종이의 색깔 변화

▲ 붉은색 리트머스 종이의 색깔 변화

(내용 플러스)

요구르트를 마시고 난 뒤 양치질을 해야 하는 까닭

요구르트를 마시면 입안이 산성 환경이 되어 충치를 일으키는 세균이 활발히 활동합니다. 이때 염기성인 치약으로 양치질을 하면 입안의 산성 물질을 없애 세균의 활동을 억제하므로 양치질을 해야 합니다.

20 치약은 붉은색 리트머스 종이를 푸른색으로 변하게 하고, 페놀프탈레인 용액을 붉은색으로 변하게 하기 때문에 염기성임을 알 수 있습니다.

▲ 물에 녹인 치약을 떨어뜨린 리트머스 종이의 색깔 변화

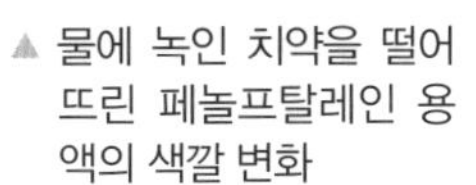

▲ 물에 녹인 치약을 떨어뜨린 페놀프탈레인 용액의 색깔 변화

(내용 플러스)

사람 입안의 pH는 7.0~7.5를 유지합니다. 여기에 여러 가지 음식을 먹으면 입안의 세균들이 당분을 산으로 분해하여 입안을 산성 환경으로 만듭니다. 음식을 섭취하고 입안에 당분이 남으면 이 또한 부패하여 산성 환경을 만듭니다. 충치를 일으키는 세균들은 산성 환경에서 더 활성화되는데, 이는 입 냄새 및 충치 발생의 원인이 됩니다. 따라서 세균들이 활성화되지 않도록 산성 물질을 제거하는 것이 필요한데 그것이 바로 치약입니다. 치약은 약한 염기성 물질로 양치질을 하면 입안의 산성 물질을 중화시켜 없애는 역할을 합니다.

서술형 문제

98~99쪽

1 예 식초의 색깔은 연한 노란색이고 투명합니다. 레몬즙의 색깔은 연한 노란색이고 불투명합니다. 사이다는 무색이고 투명합니다. 석회수는 무색이고 투명합니다. **2** 예 둘 다 무색이고 투명한 용액이기 때문에 쉽게 구분되지 않습니다. 페놀프탈레인 용액과 같은 지시약을 이용하면 사이다와 석회수를 분류할 수 있습니다. **3** 예 푸른색 리트머스 종이를 붉은색으로 변화시키는 용액이 산성 용액입니다. 붉은색 리트머스 종이를 푸른색으로 변화시키는 용액이 염기성 용액입니다.
4 식초, 레몬즙, 사이다, 묽은 염산, 예 자주색 양배추 지시약은 산성 용액에서 붉은색 계열의 색깔로 변하기 때문입니다. **5** 예 변화가 없습니다. 용액 ㉠은 염기성 용액이기 때문입니다. **6** 예 속이 쓰릴 때 염기성 제산제를 먹습니다.
7 예 붉은색 계열의 색깔에서 푸른색 계열의 색깔로 변합니다. 산성 용액에 염기성 용액을 넣을수록 산성이 점점 약해집니다. **8** 염기성 용액, 예 붉은색 리트머스 종이를 푸른색으로 변화시켰고 페놀프탈레인 용액을 붉은색으로 변화시켰기 때문입니다.

1 식초와 레몬즙은 색깔이 있고, 사이다와 석회수는 색깔이 없습니다. 식초, 사이다, 석회수는 투명하고, 레몬즙은 불투명합니다.

▲ 식초 ▲ 레몬즙 ▲ 사이다 ▲ 석회수

채점 기준

상	네 가지 용액의 색깔과 투명한 정도를 모두 옳게 쓴 경우
중	세 가지 용액의 색깔과 투명한 정도만 옳게 쓴 경우
하	두 가지 용액의 색깔과 투명한 정도만 옳게 쓴 경우

(내용 플러스)

요구르트를 마시고 난 뒤 양치질을 해야 하는 까닭

요구르트를 마시면 입안이 산성 환경이 되어 충치를 일으키는 세균이 활발히 활동합니다. 이때 염기성인 치약으로 양치질을 하면 입안의 산성 물질을 없애 세균의 활동을 억제하므로 양치질을 하면 충치를 예방할 수 있습니다.

2 사이다는 산성 용액이기 때문에 페놀프탈레인 용액을 변화시키지 않지만 석회수는 염기성 용액이기 때문에 페놀프탈레인 용액을 붉은색으로 변화시킵니다.

채점 기준

상	분류하기 어려운 점과 분류할 수 있는 방법을 옳게 쓴 경우
중	분류하기 어려운 점만 옳게 쓴 경우

3 리트머스 종이는 산성 용액과 염기성 용액을 분류할 수 있는 지시약입니다.

▲ 푸른색 리트머스 종이 ▲ 붉은색 리트머스 종이

채점 기준

상	산성 용액과 염기성 용액을 리트머스 종이로 분류하는 방법을 옳게 쓴 경우
중	산성 용액과 염기성 용액을 리트머스 종이로 분류하는 방법 중 한 가지만 옳게 쓴 경우

4 자주색 양배추 지시약을 이용하면 용액을 산성 용액과 염기성 용액으로 분류할 수 있습니다.

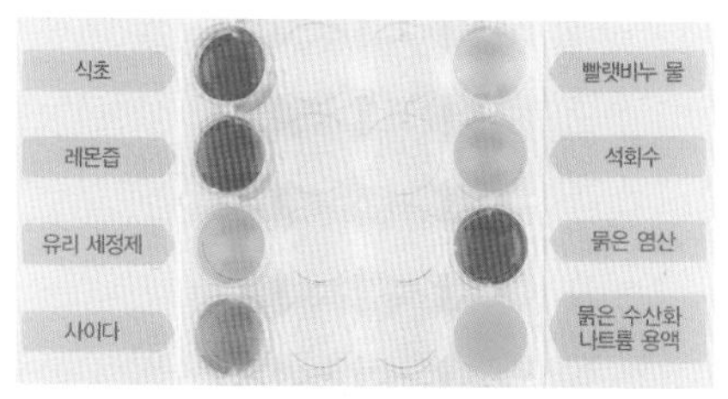

▲ 여러 가지 용액에 자주색 양배추 지시약을 떨어뜨렸을 때의 색깔 변화

채점 기준

상	산성 용액을 모두 쓰고, 까닭을 옳게 쓴 경우
중	산성 용액만 옳게 쓴 경우

5 두부를 산성 용액에 넣으면 아무런 변화가 없고, 염기성 용액에 넣으면 두부가 녹아 흐물흐물해지며 뿌옇게 흐려집니다. 따라서 용액 ㉠은 염기성 용액입니다. 염기성 용액에 대리석을 넣으면 아무런 변화가 없습니다.

▲ 산성 용액+두부

▲ 염기성 용액+대리석

채점 기준

상	변화와 까닭을 모두 옳게 쓴 경우
중	변화만 옳게 쓴 경우

(내용 플러스)

- 산성 용액은 달걀의 바깥쪽 껍데기와 대리석 조각을 녹이지만, 삶은 달걀 흰자와 두부는 녹이지 못합니다.
- 염기성 용액은 삶은 달걀 흰자와 두부는 녹이지만 달걀의 바깥쪽 껍데기와 대리석 조각은 녹이지 못합니다.

6 산성 용액에 염기성 용액을 넣을수록 산성이 점점 약해지고, 염기성 용액에 산성 용액을 넣을수록 염기성이 점점 약해집니다.

채점 기준

상	염기성 용액을 이용하는 예를 옳게 쓴 경우
중	염기성 용액을 이용하는 예를 미흡하게 쓴 경우

(내용 플러스)

염산 누출 사고에 소석회를 뿌리는 까닭

염산은 산성 용액이므로 염산의 산성을 약하게 하기 위하여 염기성 소석회를 뿌립니다. 소석회를 뿌리면 산성인 염산의 성질이 점차 약해지기 때문입니다.

7 자주색 양배추 지시약은 산성 용액에서는 붉은색 계열의 색깔로 변하고, 염기성 용액에서는 푸른색이나 노란색 계열의 색깔로 변합니다. 묽은 염산에 묽은 수산화 나트륨 용액을 넣을수록 산성이 점점 약해지기 때문에 용액이 붉은색 계열에서 푸른색 계열로 변합니다.

(내용 플러스)

- 묽은 염산에 자주색 양배추 지시약을 넣는 까닭은 지시약의 색깔 변화에 따른 용액의 성질 변화를 확인하기 위해서입니다.
- 산성 용액과 염기성 용액을 섞는 실험을 할 때에는 반드시 보안경과 실험용 장갑을 착용하고 실험해야 합니다.

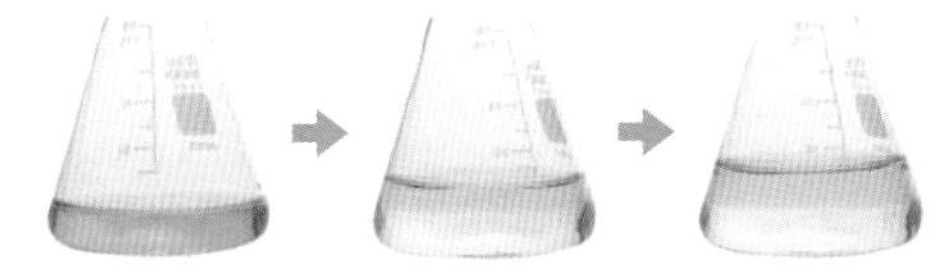

▲ 묽은 염산에 자주색 양배추 지시약을 넣고 묽은 수산화 나트륨 용액을 넣을 때 자주색 양배추 지시약의 색깔 변화

채점 기준

상	색깔 변화와 알 수 있는 사실을 모두 옳게 쓴 경우
중	색깔 변화만 옳게 쓴 경우

8 염기성 용액은 붉은색 리트머스 종이를 푸른색으로 변화시키고 푸른색 리트머스 종이를 변화시키지 않습니다. 또 페놀프탈레인 용액을 붉은색으로 변화시킵니다.

▲ 푸른색 리트머스 종이의 색깔 변화

▲ 붉은색 리트머스 종이의 색깔 변화

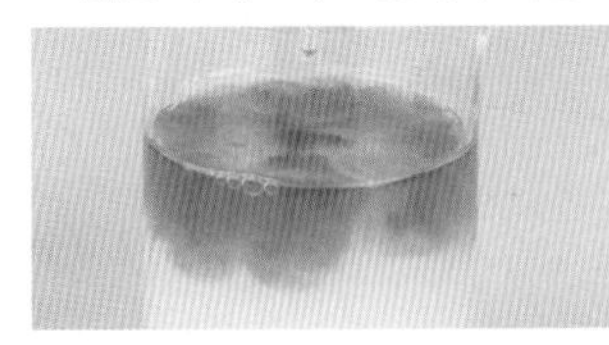

▲ 페놀프탈레인 용액을 떨어뜨렸을 때의 색깔 변화

채점 기준

상	염기성 용액을 쓰고, 까닭을 옳게 쓴 경우
중	염기성 용액만 쓴 경우

하이탑 초등 과학 5학년

정답과 해설

2 온도와 열

창의 서술형 문제 영재고·영재원 선발 대비 8~11쪽

1 ㉢, 예 알코올 온도계는 온도의 변화에 따라 액체가 열팽창하여 부피가 변하는 원리를 이용해 온도를 측정하기 때문에 공기가 없는 상태에서는 열팽창 정도가 달라져 온도를 정확하게 측정할 수 없습니다. 2 ㉡, 예 ㉠은 음료수의 열이 캔을 지나 기체인 공기로 이동하고, ㉡은 음료수의 열이 캔을 지나 고체인 얼음으로 이동하기 때문입니다. 3 ㉡, ㉢, ㉣, ㉠, 예 ㉠, ㉢, ㉣에서는 중간에 금속판이 끊어져 있어서 열이 이동할 수 없기 때문에 ㉡에서 열이 가장 빠르게 이동하고, ㉠, ㉢, ㉣ 중에서는 A 지점에서 B 지점까지의 거리가 짧은 순서가 ㉢, ㉣, ㉠이기 때문입니다. 4 예 열이 종이에 담긴 물로 이동하여 종이의 발화점까지 온도가 높아지지 않기 때문입니다. 5 예 공기는 기체이기 때문에 열이 빠르게 전달되지 않아서 사람이 화상을 입지 않지만, 열이 고체인 장신구를 통해 사람에게 이동하면 장신구가 빠르게 뜨거워져서 뜨거운 열이 피부로 전달되어 화상을 입을 수 있기 때문입니다. 6 예 오줌을 누지 않은 상태에서는 발이 기체인 공기와 접촉하고 있지만, 발에 오줌을 누면 발이 액체 상태인 오줌과 접촉하게 되기 때문에 발의 열이 액체인 오줌을 통해 더 빠르게 몸 밖으로 이동하기 때문입니다. 7 예 볏짚과 쌀겨 등은 단열성이 높아 공기 중의 열이 얼음으로 이동하지 못하도록 열을 차단하는 역할을 하기 때문입니다. 8 ㉢, 예 종이, 플라스틱, 알루미늄 중 열이 가장 빠르게 전달되는 물질이 알루미늄(금속)이기 때문에 외부의 열이 얼음으로 가장 빠르게 전달되어 얼음이 가장 빨리 녹습니다.

1 귀 체온계는 사람의 몸에 직접 닿아 온도를 측정하기 때문에 공기가 없는 상태에서도 사용할 수 있습니다. 적외선 온도계는 적외선을 사용하기 때문에 공기가 없는 상태에서도 사용이 가능합니다. 알코올 온도계는 온도가 높아지면 액체의 부피가 팽창하는 열팽창 원리를 이용하여 온도를 측정하기 때문에 공기가 없는 상태에서는 공기의 압력이 달라져 정확한 온도를 측정할 수 없습니다.

㉠ 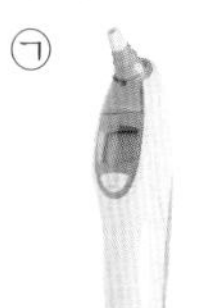
▲ 귀 체온계

㉡ 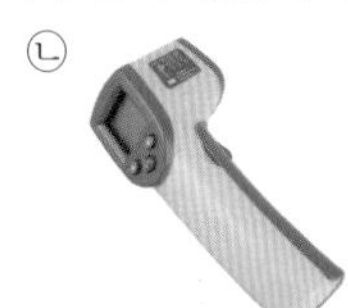
▲ 적외선 온도계

㉢ 
▲ 알코올 온도계

채점 TIP ㉢을 쓰고, 까닭을 옳게 쓰면 정답으로 합니다.

2 열은 온도가 높은 곳에서 낮은 곳으로 이동합니다. 열이 이동하는 빠르기는 고체>액체>기체 순서입니다. 음료수 캔 속의 음료수가 시원해지려면 음료수의 열이 빠르게 밖으로 이동해야 합니다. ㉠ 냉동실에서는 음료수의 열이 고체 상태의 캔을 통해 기체 상태인 냉기로 이동합니다. ㉡ 음료수 캔이 얼음과 직접 닿으면 음료수의 열이 고체 상태인 캔을 통해 고체 상태인 얼음으로 직접 닿아 이동합니다. 따라서 기체 상태의 냉기로 열이 이동하는 빠르기보다 더 빠르게 고체 상태인 캔으로 열이 이동하므로 음료수는 ㉡이 ㉠보다 더 빠르게 시원해집니다.

채점 TIP ㉡을 쓰고, 까닭을 옳게 쓰면 정답으로 합니다.

3 열은 온도가 높은 곳에서 낮은 곳으로 이동합니다. ㉠~㉣ 구리판을 가열하면 열이 가열한 부분에서 멀어지는 방향으로 이동합니다. ㉠, ㉢, ㉣과 같이 고체 물질이 끊겨 있으면 열은 그 방향으로 이동하지 않습니다.

채점 TIP ㉡, ㉢, ㉣, ㉠ 순서대로 기호를 쓰고, 까닭을 옳게 쓰면 정답으로 합니다.

4 종이 용기에 라면과 물을 담아 가열하면 열이 종이를 통해 물로 이동합니다. 종이가 타기 시작하는 온도(발화점)는 약 400~450℃ 이고, 물은 100℃가 되면 끓기 시작하면서 증발하여 물의 온도는 100℃보다 더 높아질 수 없습니다. 따라서 물의 온도가 종이의 발화점(약 400~450℃)보다 낮기 때문에 종이로 만든 용기에 물이 있는 동안은 종이가 탈 수 있는 온도까지 온도가 높아지지 않습니다. 따라서 종이는 발화점 이상의 온도가 되지 않아 타지 않습니다.

채점 TIP 열이 물로 이동하기 때문이라고 쓰거나 종이의 발화점까지 온도가 높아지지 않기 때문이라고 쓰면 정답으로 합니다.

5 열이 이동하는 빠르기는 고체>액체>기체 순서입니다. 찜질방의 뜨거운 열은 공기인 기체를 통해 사람에게 이동하기 때문에 열의 전달 속력이 느려 고온에서도 사람이 화상을 입지 않을 수 있습니다. 하지만 장신구는 고체이기 때문에 열이 빠르게 전달되어 같은 온도에서도 공기에서보다 열이 몸으로 빠르게 이동하기 때문에 장신구를 착용하면 화상을 입을 수 있습니다.

채점 TIP 장신구가 고체여서 열이 빠르게 전달되기 때문이라고 쓰면 정답으로 합니다.

6 발에 오줌을 누기 전에는 발이 공기와 접촉하고 있기 때문에 열이 발에서 기체인 공기를 통해 몸 밖으로 이동합니다. 하지만 발에 오줌을 누면 발의 열이 오줌(액체)을 통해 몸 밖으로 이동합니다. 기체보다 액체에서 열이 더 빠르게 이동하기 때문에 추운 곳에서 발에 오줌을 누면 발의 열이 몸 밖으로 더 빠르게 이동하여 발의 온도가 낮아지고 동상에 걸리기 쉽습니다.

채점 TIP 열이 액체를 통해 더 빠르게 몸 밖으로 이동하기 때문이라고 쓰면 정답으로 합니다.

7 공기 중에 얼음이 노출되면 공기 중의 열이 얼음으로 전달되어 녹게 됩니다. 하지만 볏짚과 쌀겨 등을 얼음에 덮어 놓으면 공기 중의 열이 볏짚과 쌀겨 등에 의해 차단되어 얼음과 접촉하지 않게 됩니다. 즉, 석빙고에서 볏짚과 쌀겨 등은 단열재의 역할을 합니다.

채점 TIP 볏집과 쌀겨로 단열이 되기 때문이라고 쓰면 정답으로 합니다.

8 알루미늄(금속) 컵에서 외부의 열이 얼음으로 가장 빠르게 전달됩니다. 철, 구리, 알루미늄 등과 같은 금속인 도체는 열이 매우 빠르게 전달되지만, 플라스틱과 같은 절연체인 물질은 열이 느리게 전달됩니다. 또한 같은 금속이라도 열을 전달하는 정도가 다른데, 20℃ 환경에서 알루미늄이 철보다 3배 이상 열전도율이 높습니다.

채점 TIP ㉢을 쓰고, 까닭을 옳게 쓰면 정답으로 합니다.

12~13쪽

참고 자료 1

1 ㉮ 금속 뚜껑을 뜨거운 물이나 불로 달구면 금속 뚜껑이 팽창하게 되어 유리병과 뚜껑 사이에 틈이 생기기 때문입니다.

참고 자료 2

1 ㉮ 바이메탈을 이용한 온도 조절 장치는 온도가 높아지면 휘어지면서 스위치가 꺼져 전원이 차단됩니다. 바이메탈이 다시 원래 상태로 돌아오려면 온도가 낮아져야 하므로 바이메탈의 온도를 낮추기 위해 선풍기로 식힌다면 짧은 시간 내에 다시 스위치가 켜지고 제품이 작동하게 될 것입니다.

참고 자료 1

1 금속 뚜껑은 금속으로 되어 있어서 온도가 높아지면 열팽창에 의해 팽창하게 됩니다. 팽창하게 되면 유리병과 뚜껑 사이에 틈이 생겨서 뚜껑을 쉽게 열 수 있습니다.

참고 자료 2

1 바이메탈을 이용한 온도 조절 장치는 금속이 열팽창 하여 휘어지는 성질을 이용해 전원을 차단하는 장치입니다. 열로 인해 달구어진 금속을 식힌다면 휘어진 금속이 다시 원래의 모습으로 변하게 될 것입니다.

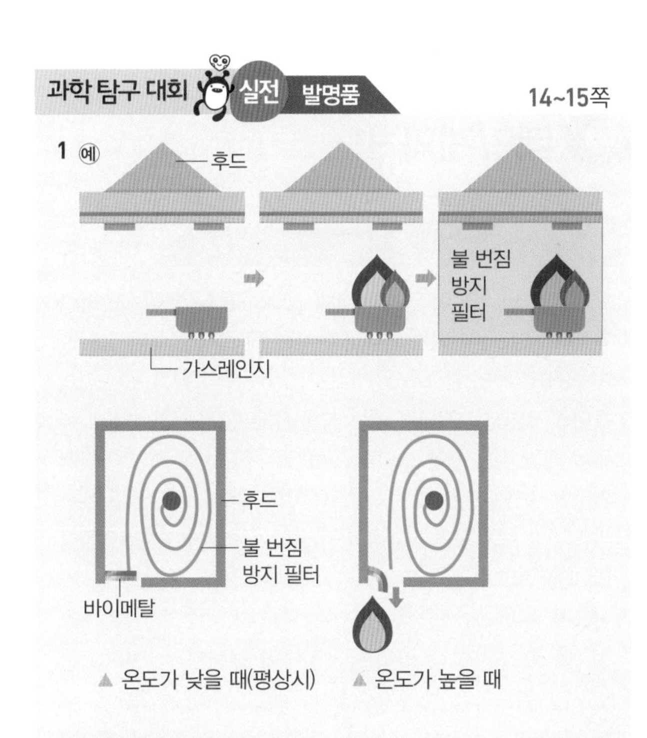

▲ 온도가 낮을 때(평상시) ▲ 온도가 높을 때

● **발명품 이름** ㉮ 불 번짐 방지 필터

● **발명품이 사용되는 장소** ㉮ 주방

● **발명 동기**

㉮ 주방은 불을 사용하기 때문에 화재 위험이 큰 곳입니다. 주방은 가스레인지에 음식물을 올려놓고, 불을 계속 켜 놓는 일로 인해 화재의 위험이 큽니다. 가스를 차단하는 것이 아닌 불을 직접 차단하는 방법에는 무엇이 있는지 찾아보다 불 번짐 방지 필터를 발명하게 되었습니다.

● **발명품의 작동 과정 및 기능**

㉮ 불 번짐 방지 필터는 가스레인지에 직접 달지 않고, 가스레인지와 가까이에 있는 후드에 연결하여 사용합니다. 후드 끝부분에서 불 번짐 방지 필터가 내려오면 불이 가스레인지 주변으로 번지지 않을 것이라 생각하여 설계하였습니다. 후드에 연결되어 있는 불 번짐 방지 필터가 태엽에 말려 있습니다. 일반적인 온도일 때는 바이메탈에 의해 불 번짐 방지 필터가 밖으로 나오지 않습니다. 온도가 높아지면 바이메탈이 구부러지면서 불 번짐 방지 필터가 밖으로 나와 가스레인지 전체를 덮어 불을 끄게 됩니다. 불 번짐 방지 필터가 가스레인지 전체를 가리면 산소가 공급되지 않고, 외부로 열기가 나가지 않게 되어 화재를 예방하거나 화재가 빠르게 번지지 않도록 하는 역할을 합니다.

● **발명품에서 개선할 점**

㉮ 불이 났을 때 후드에서 내려온 불 번짐 방지 필터에 의해 불이 주변으로 번지지 않았다면 발명품이 제 역할을 한 것입니다. 하지만 한 번 사용한 후에 또 다시 사용할 수 있도록 개선한다면 더 좋을 것입니다.

3 태양계와 별

창의 서술형 문제 영재고·영재원 선발 대비 18~21쪽

1 ㉠ 지구의 기온이 떨어져 액체 상태의 물이 존재하기 어려워집니다. 지구에 있는 물이 순환하는 데 필요한 에너지를 얻지 못해 물의 순환으로 일어나는 현상(구름의 생성, 강수, 눈, 물이 흐르면서 지표면을 깎는 작용 등)을 보기 어렵습니다. 식물이 태양 빛을 충분히 받지 못하므로 광합성을 하기 어려워 멸종할 수 있고, 동물은 식물을 먹이로 얻지 못해 멸종할 수 있습니다. 태양 빛을 이용하여 전기를 얻는 발전이 어려워집니다. 태양 빛으로 빨래를 말리기 어려워집니다. 태양 빛으로 바닷물을 증발시켜 소금을 얻을 수 없습니다. 2 천왕성, 해왕성, ㉠ 요일은 고대 그리스 시절부터 정해져 온 것으로서 월－달, 화－화성, 수－수성, 목－목성, 금－금성, 토－토성, 일－태양이고 천왕성과 해왕성이 포함되지 않았습니다. 그 까닭은 지구로부터 천왕성과 해왕성까지의 거리가 매우 멀어서 사람의 맨눈으로는 관찰이 불가능했고 천왕성과 해왕성은 별자리 사이를 매우 천천히 움직였기 때문에 망원경이 발명된 이후에나 행성인 것을 알게 되었기 때문입니다. 3 ㉠ 중심에서 끌어당기는 힘이 작용하기 때문입니다. 4 ㉠ 지구의 표면이 곡선이므로 남반구에서는 북극성과 주변 별자리가 지평선 아래에 위치하기 때문입니다. 5 ㉠ 지구가 자전하기 때문입니다. 6 ㉠ 동쪽 하늘에서 해가 뜨기 직전인 새벽입니다. 7 ㉠, ㉠ 카시오페이아자리의 W자의 양끝 선을 연장하여 교차하는 점과 가운데 별 사이의 거리의 다섯 배만큼 떨어진 곳에 북극성이 있기 때문입니다. 8 ㉠ 한밤중에도 관찰할 수 있는 것이 화성이고, 한밤중에는 볼 수 없는 것이 금성입니다.

1 답이 정해져 있는 문제라기보다는 논리적이고 과학적인 답을 찾는 것이 중요합니다. 지구와 태양 사이의 거리는 약 1억 4,960만 km이고 태양과 화성 사이의 거리는 약 2억 2,739만 km입니다. 태양계에서 생명체가 살 수 있으려면 액체 상태의 물이 필요합니다. 지구가 태양으로부터 2억 km 떨어진 위치에 있다고 하면 화성의 환경과 비슷해질 수 있다고 생각해 볼 수 있습니다.

채점 TIP 지구와 태양의 거리가 멀어질 때 생길 수 있는 일을 옳게 쓰면 정답으로 합니다.

2 옛날 사람들은 우주의 중심은 지구이고 가장 빨리 움직이는 천체가 가장 가깝고, 가장 느리게 움직이는 천체가 가장 멀다고 생각했습니다. 또 고대 그리스에서는 하루를 24시간으로 나누어 각 시간이 7개 천체의 영향을 받는다고 생각했습니다. 요일의 이름을 각 요일의 첫 번째 시간을 지배하는 행성의 이름을 따라 정해서 요일의 순서가 월화수목금토일이 된 것입니다.

채점 TIP 천왕성, 해왕성을 쓰고 까닭을 옳게 쓰면 정답으로 합니다.

3 질량이 있는 물체 사이에는 서로 끌어당기는 힘이 작용합니다. 행성, 별, 달 등의 천체는 중심에서 천체를 구성하는 모든 물질을 끌어당깁니다. 행성의 중심에서 멀리 떨어진 물체나 물질이 끌어당기는 힘에 의해 중심에 좀 더 가까운 곳으로 옮겨가는 과정을 거쳐 행성은 둥근 모양이 됩니다.

채점 TIP 서로 끌어당기는 힘이 작용하기 때문이라고 쓰면 정답으로 합니다.

4 국제 천문학회에서 공인된 별자리는 88개이지만, 북반구에서는 대략 55개의 별자리가 보입니다. 지구의 표면은 곡선이기 때문에 지평선 아래에 있는 천체는 떠오르지 않으면 관측할 수 없습니다.

채점 TIP 지구의 표면이 둥글기 때문이라는 의미로 쓰면 정답으로 합니다.

5 북극성은 지구 자전축 위에 있는 별이라서 항상 같은 위치에 있습니다. 별은 지구의 자전에 의해 1시간에 15°(360°÷24시간)를 움직입니다. 북극성 주변의 별은 북극성을 중심으로 회전 운동을 하며, 시계 반대 방향으로 움직입니다. 별 S는 지구가 자전하여 한 시간 동안 15°를 움직인 것입니다.

채점 TIP 지구가 자전하기 때문이라고 쓰면 정답으로 합니다.

6 태양이 동쪽 지평선 아래에 위치하고 있어서 동쪽 하늘에서 해가 뜨기 직전인 새벽이라는 것을 알 수 있습니다.

채점 TIP 해가 뜨기 직전이라고 쓰면 정답으로 합니다.

7 카시오페이아자리는 'W' 형태를 하고 있고 북쪽 밤하늘에 떠 있어서 북반구 중위도에서는 쉽게 찾을 수 있습니다.

채점 TIP ㉠을 쓰고, 까닭을 옳게 쓰면 정답으로 합니다.

8 금성은 지구보다 태양에 가까워서 태양으로부터 일정한 각도 이상 벗어나지 않기 때문에 한밤중에는 우리가 관찰할 수 없습니다. 화성은 태양에서부터 거리가 지구보다 더 먼 곳에서 공전하고 있기 때문에 지구를 기준으로 태양의 반대편에 위치할 수 있으므로 한밤중에도 볼 수 있습니다.

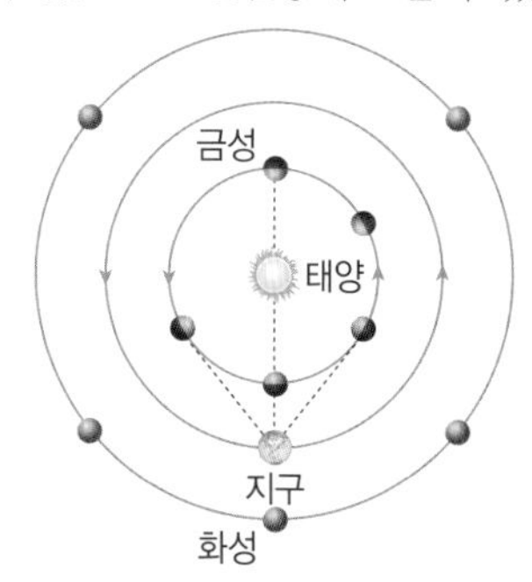

채점 TIP 망원경으로 색깔을 보고 구분한다고 써도 정답으로 합니다.

과학 탐구 대회 준비 에세이 ESSAY 22~23쪽

참고 자료 1 1 C, D

참고 자료 2 1 ㉠ 비행기, 선박의 정확한 위치를 알려 주고, 앞으로 가야 할 하늘길과 바닷길을 알려 줍니다. 오지에서 통신을 할 수 있게 해 줍니다. 태풍의 경로를 파악하고 피해를 예방합니다.

참고 자료 1

1 인공위성이 C, D의 위치에 있을 때 볼 수 있습니다. A, B의 위치에서는 태양 빛에 의해 보이지 않게 되고, E의 위치에서는 지구 그림자에 가려서 보이지 않게 됩니다. 행성이나 달이 우리 눈에 보이는 이유와 동일하지만 인공위성은 작고 지구와 가까이에서 지구 주변을 공전하기 때문에 차이가 나는 것입니다.

참고 자료 2

1 인공위성은 통신, 방송, 기상, 항해, 관측의 여러 가지 영역에서 정보를 전달하고 있습니다. 여러 가지 영역에서 이용하는 인공위성이 실생활에 어떤 영향을 미치는지 생각하여 답안을 작성합니다.

과학 탐구 대회 실전 에세이 ESSAY 24~25쪽

㉠ 우주 쓰레기는 오래된 인공위성으로부터 나온 부품이나 우주선에서 떨어진 도구 등이 지구 주위를 돌아다니는 잔해물을 의미합니다. 우주 쓰레기는 우주 개발에 의해 계속 생겨나고 있어서 문제가 됩니다. 우주 쓰레기가 제거되지 않는다면 두 가지 큰 문제점이 생깁니다.

하나는 현재 작동하고 있는 인공위성에 위협이 된다는 것입니다. 우주 쓰레기는 초속 7~8km 빠르기로 이동하므로 인공위성과 부딪히면 인공위성이 부서지게 됩니다. 또 부서진 인공위성이 우주 쓰레기가 되어 또 다른 인공위성에 위협이 됩니다.

또 다른 문제는 로켓이나 인공위성을 쏘아 올릴 때 위협이 된다는 것입니다. 중요한 기술과 자원으로 만들어진 인공위성이 제 역할을 하기도 전에 파괴될 수 있습니다.

이런 위협이 되는 우주 쓰레기를 처리하려면 크기에 따라 다른 접근 방법이 필요할 것입니다.

작은 우주 쓰레기는 제갈공명이 적벽 대전에서 화살을 모은 것과 같이 우주 쓰레기를 처리하는 우주선을 만들어 우주 쓰레기가 부딪힐 때마다 우주선에 달라붙게 하여 처리하는 방법입니다.

큰 우주 쓰레기는 작게 부수기 위해 우주 쓰레기에 작살을 쏘아서 수거하는 방법으로 쓰레기를 제거해야 합니다.

가장 중요한 것은 무분별한 우주 개발을 막고, 인공위성이나 우주선을 만들 때 수명이 다하면 지구로 떨어지도록 하는 기능을 추가하여 대기권에서 연소되어 사라지도록 하는 것입니다.

㉠ 우주 쓰레기는 오래된 인공위성으로
부터 나온 부품이나 우주선에서 떨어
진 도구 등이 지구 주위를 돌아다니
는 잔해물을 의미합니다. 우주 쓰레기
는 우주 개발에 의해 계속 생겨나고
있어서 문제가 됩니다. 우주 쓰레기가
제거되지 않는다면 두 가지 큰 문제
점이 생깁니다.
 하나는 현재 작동하고 있는 인공위
성에 위협이 된다는 것입니다. 우주
쓰레기는 초속 7~8km 빠르기로 이
동하므로 인공위성과 부딪히면 인공위
성이 부서지게 됩니다. 또 부서진 인
공위성이 우주 쓰레기가 되어 또 다
른 인공위성에 위협이 됩니다.
 또 다른 문제는 로켓이나 인공위성
을 쏘아 올릴 때 위협이 된다는 것
입니다. 중요한 기술과 자원으로 만들
어진 인공위성이 제 역할을 하기도
전에 파괴될 수 있습니다.
 이런 위협이 되는 우주 쓰레기를
처리하려면 크기에 따라 다른 접근
방법이 필요할 것입니다.
 작은 우주 쓰레기는 제갈공명이 적
벽 대전에서 화살을 모은 것과 같이
우주 쓰레기를 처리하는 우주선을 만
들어 우주 쓰레기가 우주선에 부딪힐
때마다 우주선에 달라붙게 하여 처리
하는 방법입니다.
 큰 우주 쓰레기는 작게 부수기 위
해 우주 쓰레기에 작살을 쏘아서 수
거하는 방법으로 쓰레기를 제거해야
합니다.
 가장 중요한 것은 무분별한 우주
개발을 막고, 인공위성이나 우주선을
만들 때 수명이 다하면 지구로 떨어
지도록 하는 기능을 추가하여 대기권
에서 연소되어 사라지도록 하는 것입
니다.

4 용해와 용액

창의 서술형 문제 영재고·영재원 선발 대비 28~31쪽

1 예 용액 몇 방울을 바닥에 떨어뜨렸을 때 개미, 파리 등이 모이는 용액이 설탕물입니다. 두 용액을 가열했을 때 점차 갈색을 띠는 용액이 설탕물이고, 흰색을 띠는 용액이 소금물입니다. 용액을 증발시킨 뒤 만졌을 때 끈적끈적한 것이 설탕물이고, 작은 가루가 남는 것이 소금물입니다. 용액을 얼렸을 때 더 빨리 어는 용액이 설탕물입니다. 두 용액에 전기 회로를 연결했을 때 전기가 흐르는 용액이 소금물이고, 전기가 흐르지 않는 용액이 설탕물입니다. 2 각설탕 수용액, 예 각설탕을 녹인 용액에서 물을 증발시키더라도 설탕이 각설탕 모양으로 만들어지지는 않습니다. 3 예 분말주스 가루, 탄산수소 나트륨, 가루 세제, 미숫가루 순으로 물에 용해되는 양이 많습니다. 물질이 용해되지 않고 바닥에 남을 때까지 약숟가락으로 넣은 횟수가 많을수록 물에 많이 용해된 것이기 때문입니다. 4 예 소금이 녹습니다. 소금물 용액 A에 물을 넣어 만든 용액 B는 소금물 용액 A보다 진하기가 묽어지기 때문입니다. 5 (라), (나), (다), (가), 예 (다)는 (가)보다 색깔이 진하므로 (다)가 (가)보다 더 진합니다. ((다)>(가)), (나)가 (다)보다 맛이 진하므로 (나)가 (다)보다 더 진합니다. ((나)>(다)), (라)가 (다)보다 더 무거우므로 (라)가 (다)보다 더 진합니다. ((라)>(다)), (나)와 (라)에 메추리알을 넣었더니 (라)에서 더 높이 떠올랐으므로 (라)가 (나)보다 더 진합니다. ((라)>(나)) 6 예 맛을 보았을 때 더 짠 것이 동해 바닷물입니다. 방울토마토를 넣었을 때 더 높게 뜨는 것이 동해 바닷물입니다. 더 투명한 것이 동해 바닷물입니다. 7 예 (다)에 빨강 색소를 넣고, (나)에 노랑 색소를 넣고, (가)에 파랑 색소를 넣습니다. 비커에 액체 층을 만들 때는 (다), (나), (가) 순으로 넣습니다. 용액의 진하기가 (다)>(나)>(가)이므로 용액의 무게도 (다)>(나)>(가)입니다. 무거운 용액부터 순서대로 쌓아야 원하는 액체 층이 만들어지기 때문입니다. 8 예 설탕이 백반보다 일정한 양의 물에 더 많이 녹을 수 있기 때문에 백반이 더 이상 녹지 않는 용액에도 설탕은 더 녹을 수 있습니다.

1 설탕뿐만 아니라 양파와 같이 당 성분이 많은 식품을 가열하면 설탕이 녹는점 이상으로 가열되면서 갈색으로 변하게 되는데 이것을 캐러멜화 현상이라고 합니다. 이것은 설탕이 탄 것이 아니라 설탕이 다른 물질로 변화한 것입니다. 설탕물이 소금물보다 어는점이 높습니다. 소금이 물에 용해되면 수용액에 양이온과 음이온이 존재하지만 설탕은 물에 용해되어도 수용액에 이온이 존재하지 않으므로 소금물에서는 전기가 흐르고 설탕물에서는 전기가 흐르지 않습니다.

채점 TIP 맛을 보지 않고 소금물과 설탕물을 구분하는 방법 두 가지를 옳게 쓰면 정답으로 합니다.

2 용액을 증발시키면 액체 용매 입자 수가 감소하면서 용질이 결정으로 만들어집니다. 염전에서 소금을 얻는 것이 이러한 원리입니다. 각설탕은 작은 설탕 결정을 뭉쳐 만들기 때문에 각설탕 수용액에서 물을 증발시키면 설탕 결정이 만들어지지만 각설탕 모양으로 만들어지지는 않습니다.

채점 TIP 각설탕 수용액을 쓰고, 증발시켜 얻은 용질의 모양이 처음과 같지 않다고 쓰면 정답으로 합니다.

3 미숫가루는 물에 녹지 않기 때문에 미숫가루를 탄 물은 용액이 아닙니다.

▲ 미숫가루를 탄 물

채점 TIP 분말주스 가루, 탄산수소 나트륨, 가루 세제, 미숫가루를 순서대로 쓰고, 까닭을 옳게 쓰면 정답으로 합니다.

4 소금물 용액 A에 용매인 물을 섞으면 소금물의 진하기가 묽어집니다.

채점 TIP 소금이 녹는다고 쓰고, 그 까닭을 옳게 쓰면 정답으로 합니다.

5 황설탕처럼 색깔이 잘 보이는 용질을 녹인 용액은 색깔로 진하기를 쉽게 비교할 수 있으나 소금이나 백설탕을 녹인 용액은 색깔로 진하기를 비교하기가 어렵습니다. 이때는 달걀이나 방울토마토, 또는 진하기를 비교할 수 있는 도구를 만들어서 용액에 넣어 보는 방법으로 진하기를 비교할 수 있습니다.

채점 TIP (라), (나), (다), (가)를 순서대로 쓰고, 까닭을 옳게 쓰면 정답으로 합니다.

내용 플러스

용액이 진할수록 물체가 더 높이 떠오르는 까닭

용액의 진하기(농도)는 용액 속에 용질이 용해되어 있는 정도를 말하는데, 농도가 진하다는 것은 용액 속에 들어 있는 용질이 많다는 뜻입니다. 그러므로 용액의 부피가 같을 때 농도가 진한 용액은 농도가 묽은 용액보다 같은 부피에 해당하는 무게가 더 무겁습니다. 따라서 농도가 진한 용액이 비중이 크고 용액의 비중이 클수록 아르키메데스의 원리에 의해 용액에 넣은 물체가 받는 부력이 커져서 물체가 더 높이 떠오릅니다.

6 강물이 동해보다 서해로 더 많이 흘러들어가기 때문에 서해보다 동해의 바닷물의 염도가 더 높습니다. 서해에 더 많은 강물이 흘러들어가 흙과 같은 성분이 더 많기 때문에 서해보다 동해 바닷물이 더 투명합니다.

채점 TIP 동해 바닷물을 찾는 방법을 옳게 쓰면 정답으로 합니다.

7 색소를 넣은 용액을 스포이트를 이용하여 아주 천천히 비커의 벽을 따라 흘러내리게 하면 각 용액의 진하기가 다르기 때문에 색깔이 다른 용액의 층이 형성될 수 있습니다.

채점 TIP 각 용액에 넣은 색소, 용액을 쌓는 순서, 까닭을 모두 옳게 쓰면 정답으로 합니다.

8 설탕의 용해도가 백반보다 더 높기 때문에 백반이 더 이상 녹지 않는 용액에도 설탕은 녹습니다.

(내용 플러스)

용해도

- 용해도: 일정한 온도에서 용매 100g에 최대로 녹을 수 있는 용질의 g수입니다.
- 용해도의 특징
  - 일정한 온도에서 같은 용매에 대한 용해도는 용질에 따라 다르므로 용해도는 물질의 특성입니다.
  - 용해도는 용매와 용질의 종류가 같더라도 온도에 따라 다르므로 물질의 용해도를 나타낼 때에는 온도를 함께 표시해야 합니다.
- 여러 가지 물질의 용해도: 20℃의 물에 대해 소금의 용해도는 36, 백반의 용해도는 6, 설탕의 용해도는 204, 붕산의 용해도는 5입니다. 이것은 20℃의 물 100g에 소금은 최대로 36g, 백반은 6g, 설탕은 204g, 붕산은 5g 용해될 수 있다는 의미입니다.

채점 TIP 같은 양의 물에 설탕이 백반보다 더 많이 녹기 때문이라고 쓰면 정답으로 합니다.

과학 탐구 대회 준비 탐구 보고서

32~33쪽

1 예 보이차 찻잎의 양, 보이차 찻잎 조각의 크기, 물의 온도, 우려내는 시간 등

2 (1) 예 보이차 찻잎의 양, 보이차 찻잎 조각의 크기, 보이차 찻잎의 종류, 물의 온도 등 (2) 우려내는 시간

1 사탕을 녹여 진하기가 다른 설탕물을 만드는 방법을 생각해 봅니다. 사탕의 양, 사탕의 크기, 물의 온도, 녹이는 시간 등에 따라 사탕이 물에 녹는 양이 달라질 수 있습니다.

2 (1) 같게 할 조건을 많이 찾은 뒤 그 조건들이 같도록 실험을 설계해야 정확한 실험을 할 수 있습니다. 보이차의 진하기에 영향을 주는 조건 중 알아보려고 하는 조건을 제외한 나머지 조건을 같게 해야 합니다.
(2) 연한 보이차와 진한 보이차를 우려내기 위한 조건은 다양합니다. 실험에서 보이차의 진하기에 영향을 주는 조건 중 알아보려는 조건만 다르게 합니다.

과학 탐구 대회 실전 탐구 보고서

34~35쪽

● **탐구 과정**

예 ① 크기가 같은 보이차 찻잎 조각 10g을 5개 준비합니다.
② 보이차 찻잎을 차 주머니에 담아 둡니다.
③ 100℃의 물을 준비합니다.
④ 100℃의 물 100mL에 보이차 찻잎을 20초 동안 씻어 냅니다.
⑤ 다른 온도(90℃, 80℃, 70℃, 60℃)의 물 100mL에 보이차 찻잎을 20초 동안 씻어 냅니다.
⑥ 씻어낸 물에서 카페인의 함량을 측정합니다.

● **탐구 결과**

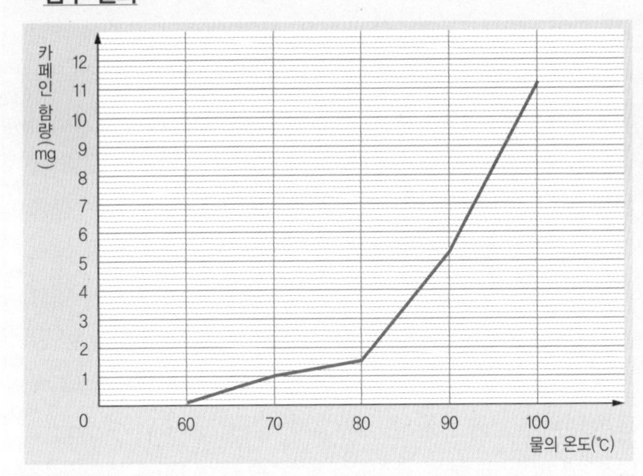

위 실험은 세차(보이차 찻잎을 100℃ 정도의 물로 20초 동안 씻어 내는 것)하기 전과 세차한 후 보이차 찻잎에서 물에 녹아 빠져나온 카페인 함량을 비교하여 세차가 보이차 찻잎에 있는 카페인 제거에 도움이 되는지 알아보는 실험입니다. 따라서 보이차 찻잎을 씻을 물의 온도만 다르게 하고, 보이차 찻잎의 양, 보이차 찻잎 조각의 크기, 보이차 찻잎을 씻을 물의 양, 보이차 찻잎을 씻는 시간 등은 같게 하여 탐구 과정을 설계합니다. 또 탐구 결과를 그래프로 나타내면 찻잎을 씻은 물의 온도에 따른 보이차 찻잎에서 물에 녹아 빠져나온 카페인의 양을 쉽게 비교할 수 있습니다.

5 다양한 생물과 우리 생활

창의 서술형 문제 영재고·영재원 선발 대비 38~41쪽

1 ㊒ 식물은 뿌리, 줄기, 잎으로 되어 있지만 버섯은 균사로 구성되어 있기 때문입니다. 식물은 씨앗으로 번식하지만 버섯은 포자로 번식하기 때문입니다. 식물은 광합성을 통해 에너지를 얻지만 버섯은 생물을 분해하여 양분을 얻기 때문입니다. **2** ㊒ 곰팡이는 습하고 따뜻하며 그늘진 곳에서 잘 자랍니다. 냉장고에 둔 빵에서는 곰팡이가 자라지 않았고, 물을 뿌린 빵에서 물을 뿌리지 않은 빵보다 곰팡이가 더 잘 자랐기 때문입니다. **3** ㊒ 곰팡이는 습하고 따뜻한 곳에서 잘 자랍니다. 겨울철에는 기온이 낮고 건조해서 사람의 몸에서 땀이 잘 나지 않아 옷이 습해지지 않고 옷의 온도가 여름처럼 높아지지 않기 때문입니다. 여름철에는 습하고 더운 날씨 때문에 사람의 몸에서 땀이 많이 나오기 때문에 땀이 옷에 묻어 옷이 습해지고 옷의 온도가 높아지며 옷에 묻은 땀이 곰팡이의 양분이 되기 때문입니다. **4** 짚신벌레는 더 적게 보입니다. ㊒ 대물렌즈를 40배로 하면 배율이 4배 커져 짚신벌레가 더 크게 확대되기 때문에 짚신벌레를 더 자세히 관찰할 수 있지만 관찰되는 면적이 좁아져 짚신벌레의 수는 줄어들기 때문입니다. **5** ㊒ 물이 흐르지 않고 고여 있으면 물속 영양분이 농축되어 영양분이 많아지기 때문입니다. 또 물이 흐르지 않아야 해캄이 흩어지지 않아서 물고기의 먹이가 되지 않기 때문입니다. **6** ㊒ 곰팡이로 만드는 치료제를 만들 수 없습니다. 곰팡이가 없으면 발효 음식을 만들지 못합니다. 세균이 없으면 오염 물질을 분해하지 못합니다. 곰팡이와 세균이 없으면 죽은 동물이나 식물을 분해하지 못합니다. **7** ㊒ 약한 병원균을 몸속에 주사하면 우리 몸의 면역 기능이 작동하여 병원균에 대항할 수 있는 물질들을 만들어 내기 때문입니다. 이렇게 한 번 만들어진 물질들은 나중에 같은 병원균이 몸속에 들어왔을 때 빠르게 면역 성분을 만들 수 있게 하여 병원균을 죽일 수 있습니다. **8** ㊒ 땅에 묻은 김칫독에서는 온도의 급격한 변화가 일어나지 않고 온도가 −2℃~7℃ 사이를 유지하기 때문입니다.

1 버섯은 균류에 속하는 생물로 식물과 다른 구조를 가지고 있습니다. 식물은 뿌리, 줄기, 잎으로 구성되어 있지만 버섯은 가늘고 긴 모양의 균사로 구성되어 있습니다. 또 식물은 광합성을 통해 양분을 얻지만 버섯은 균사를 동식물의 사체나 배설물에 붙여 양분을 얻습니다. 식물은 씨앗을 통해 번식하지만 버섯은 포자로 번식합니다.

채점 TIP 버섯이 식물이 아닌 까닭을 두 가지 옳게 쓰면 정답으로 합니다.

2 물을 뿌린 빵과 물을 뿌리지 않은 빵을 비교해 봤을 때 물을 뿌린 빵에서 곰팡이가 더 잘 자랐기 때문에 습한 곳에서 잘 자란다는 것을 알 수 있습니다. 냉장고에 둔 빵에서는 둘 다 곰팡이가 자라지 않았기 때문에 차가운 곳에서는 곰팡이가 잘 자라지 못한다는 것을 알 수 있습니다. 곰팡이는 따뜻하고 축축한 곳에서 잘 자라기 때문에 겨울보다 여름에 더 잘 자랍니다. 곰팡이를 없애기 위해서는 바람이 통하게 하여 습기를 제거해야 합니다.

채점 TIP 습하고 따뜻한 곳이라고 쓰고 그렇게 생각한 까닭을 실험과 관련하여 옳게 쓰면 정답으로 합니다.

3 곰팡이(균류)는 스스로 양분을 만들지 못합니다. 여름옷에는 땀이 많이 묻어 곰팡이의 양분이 됩니다. 반대로 겨울옷에는 여름옷보다 땀이 많이 묻지 않아 곰팡이의 양분이 될 수 있는 물질이 없고, 날씨가 춥고 건조해 곰팡이가 잘 자라지 못합니다. 곰팡이가 잘 자라기 위해서는 양분과 따뜻하고 축축한 환경이 필요하기 때문에 여름옷에서 곰팡이가 잘 자랍니다.

채점 TIP 겨울옷과 여름옷의 특징과 관련하여 까닭을 옳게 쓰면 정답으로 합니다.

4 현미경으로 물체의 모습을 확대하는 정도를 배율이라고 합니다. 현미경의 배율=접안렌즈의 배율×대물렌즈의 배율입니다. 접안렌즈의 배율이 10배, 대물렌즈의 배율이 10배일 때 현미경의 배율은 10과 10을 곱한 100배입니다. 이때 짚신벌레가 32개 관찰되었습니다. 대물렌즈의 배율을 40배로 바꾸면 현미경의 배율이 10과 40을 곱한 400배가 됩니다. 현미경의 배율이 400배로 높아지면 관찰되는 면적이 줄어들고 관찰 대상이 더 확대됩니다. 따라서 짚신벌레는 더 적은 수가 크게 확대되어 관찰됩니다.

채점 TIP 더 적게 보인다고 쓰고, 까닭을 옳게 쓰면 정답으로 합니다.

5 해캄은 물이 고여 있고 따뜻한 곳에서 잘 자랍니다. 해캄은 초록색이고 미끈미끈하며 가늘고 긴 머리카락 모양으로 서로 얽혀 뭉쳐 살며 겨울이 되면 이웃하는 해캄이 하나로 합쳐져 살아갑니다. 또 짧은 시간 안에 많은 수로 늘어납니다. 해캄과 같이 동물이나 식물, 균류로 분류되지 않으며 생김새가 단순한 생물을 원생생물이라고 합니다.

채점 TIP 물이 흐르지 않는 곳에서 해캄이 잘 자라는 까닭을 옳게 쓰면 정답으로 합니다.

6 세균과 곰팡이가 우리 생활에 미치는 영향으로는 이로운 것과 해로운 것이 있습니다. 질병을 치료하고 사체를 없애는 곰팡이가 없어진다면 사람의 질병을 치료하는 데 문제가 발생하고, 지구 전체가 생물들의 시체 더미가 될 것입니다. 또 여러 가지 질병을 일으키거나 생물을 감염시키는 세균의 나쁜 영향도 없어지지만 음식을 만들거나 오염 물질을 분해하는 등의 이로운 영향도 함께 사라져 생태계에 큰 문제를 발생할 것입니다.

채점 TIP 달라질 우리 생활을 두 가지 옳게 쓰면 정답으로 합니다.

(내용 플러스)

다양한 생물이 우리 생활에 미치는 영향

- 기생하는 균류: 약 50여 종의 곰팡이가 사람을 감염시킵니다. 폐 감염, 피부 질환 등이 있고 전염성이 높습니다.
- 독성이 있는 균류: 일부 곰팡이와 버섯은 독성이 있어 이를 먹을 경우 치명적인 피해를 입거나 죽음에 이를 수 있습니다.
- 질병을 일으키는 균류와 세균: 세균은 감염을 일으키며, 인간의 질병 중 약 50%가 세균에 의한 것입니다. 세균에 의한 감염에는 포도상 구균 감염, 흑사병, 탄저병, 살모넬라 감염 등이 있습니다. 녹병균과 회색곰팡이와 같은 균류는 동물에게 질병을 일으켜 죽음에 이르게 합니다.
- 조류 대발생: 원생생물은 번식하기 좋은 환경에서는 급격하게 증식하기 때문에 다른 생물이 살 수 없는 환경을 만들기도 합니다.

7 예방 접종의 원리는 약한 병원균을 몸에 주입해서 면역 세포가 항체를 만들어서 강한 병원균이 몸에 들어왔을 때 짧은 시간 안에 병원균을 물리치는 것입니다.

채점 TIP 몸속에 병원균에 대항할 수 있는 물질을 만들어 두기 위해서라는 의미로 쓰면 정답으로 합니다.

8 김치가 숙성되는 동안 김치에는 발효균이 생성됩니다. 젖산균이 번식하면서 해로운 영향을 미치는 미생물의 번식을 막고 점점 발효가 됩니다. 김치가 유산균과 젖산균으로 숙성되면 새콤하고 달콤한 맛을 냅니다. 김치가 발효된 후에도 일정한 온도에서 유산균을 보존시켜야 김장 김치를 신선하게 보관할 수 있습니다. 김치 유산균이 가장 잘 자라는 온도는 약 6.5℃입니다. 신맛을 감소시키고 감칠맛을 높여 주는 유산균이 이 온도에서 특히 활발하게 증식해 그 수가 대폭 늘어납니다.

채점 TIP 김치를 발효시키기 좋은 온도를 유지하기 때문이라는 의미로 쓰면 정답으로 합니다.

과학 탐구 대회 준비 발명품 42~43쪽

참고 자료 1 **1** 예 지하철 손잡이, 교실 문손잡이, 공공시설 운동 기구, 계단 손잡이, 교실 책상, 컴퓨터 마우스 등

참고 자료 2 **1** 예 스마트폰, 알코올 솜으로 닦아서 세균을 없앱니다.

참고 자료 1

1 여러 사람들이 공동으로 사용하는 물건을 찾아보면 사람들의 손이 많이 닿는 물건을 찾을 수 있습니다.

참고 자료 2

1 물리적 방법으로 세균을 없애면 물체가 타거나 열에 의해 변형을 일으킬 수 있습니다. 물체를 훼손하지 않고 비교적 쉬운 방법으로 세균을 없애려면 화학적 방법이 좋습니다. 가정에서는 대부분 알코올이나 락스와 같은 약품을 이용하여 세균을 없앱니다.

과학 탐구 대회 실전 발명품 44~45쪽

1 예

- **발명품 이름** 예 살균 모니터 받침대
- **발명품이 세균을 제거하는 방법**
  예 물리적인 방법(자외선 램프를 이용)으로 세균을 제거합니다.
- **발명품의 기능**
  예 키보드는 사람의 손이 자주 닿는 것으로 세균이 많이 살고 있으므로 살균이 필요한 물건입니다. 키보드를 모니터 받침대 아래에 넣어 놓을 때 키보드가 살균될 수 있도록 특별한 모니터 받침대를 만들어야 겠다고 생각하였습니다. 감지 센서 두 개를 달아서 넓적한 키보드가 들어갈 때만 자외선 램프가 작동할 수 있게 설계하였습니다. 감지 센서 하나만 작동이 된다면 불이 켜지지 않고 두 개가 모두 감지될 경우 자외선 램프가 켜지게 구성하였습니다. 자외선 램프는 앞쪽에서 뒤쪽으로 비추어 사람이 책상에 앉아 있을 때 빛이 앞쪽으로 나오지 않도록 설계하였습니다. 자외선 램프가 항상 켜져 있지 않도록 시간 스위치를 달아서 일정 시간이 지나 살균이 끝나거나 살균을 할 필요가 없을 때 자외선 램프를 끌 수 있게 구성하였습니다.
- **발명품에서 개선할 점**
  예 모니터 받침대 밑에 모니터가 아닌 다른 넓적한 물건이 들어가면 잘못 작동이 되는 경우가 생길 수 있습니다. 또 사람의 손을 양쪽 센서에서 동시에 감지할 경우 손에 자외선이 비치게 될 수 있습니다. 따라서 키보드를 넣었을 때에만 작동되게 인식하는 센서로 개선하면 좋을 것 같습니다.

2 생물과 환경

창의 서술형 문제 영재고·영재원 선발 대비 48~51쪽

1 예 분해자가 없으면 죽은 생물이나 배설물을 분해시키지 못해서 토양에 양분을 공급하지 못합니다. 양분이 없으면 식물이 살 수 없고, 식물이 없으면 동물도 살 수 없습니다. 그 결과 생태계는 파괴됩니다. 2 예 공룡이 살아가기 위해서는 먹이가 필요합니다. 운석이 지구에 충돌하면 먼지가 대기를 뒤덮어 땅에 태양 에너지가 공급되지 않아 생물이 살아가는 데 필요한 햇빛과 온도에 영향을 미치게 됩니다. 햇빛과 온도에 이상이 생기면 식물이 자랄 수 없고 식물이 자라지 못하면 공룡도 먹이가 없어 살아갈 수 없기 때문입니다. 3 예 황소개구리의 수가 너무 많아져 먹이가 부족하게 되었기 때문입니다. 좁은 장소에서 서로 경쟁을 하여 황소개구리 중 약한 개체는 저절로 없어지게 되고 생태계가 변화하면서 황소개구리의 천적이 나타나 황소개구리의 수가 줄었기 때문입니다. 4 예 열대 우림은 비가 많이 내려 습도가 높고 땅에 물이 많아 식물이 썩지 않으려면 잎을 통해 물을 밖으로 활발하게 내보내야 하기 때문에 바나나 나무의 잎이 넓습니다. 반대로 사막은 물이 부족해서 잎을 통해 물이 식물 밖으로 많이 빠져나가지 않도록 해야 하기 때문에 선인장의 잎이 가늘고 뾰족합니다. 5 예 석탄 검댕이 묻어 나무의 색이 검은색으로 변해 얼룩 나방이 나무에 붙어 있을 때 천적에게 노출이 잘 되어 잡아먹히기 쉬워지고, 나무와 비슷한 검은색 나방은 천적의 눈에 띄지 않아 살아남았기 때문입니다. 6 예 수면을 뒤덮은 녹조가 햇빛을 차단하여 깊은 물속에 사는 식물이 광합성을 할 수 없게 되어 물속의 산소가 줄어듭니다. 따라서 동식물이 산소 부족으로 갑자기 죽게 될 수 있습니다. 7 예 메뚜기 떼는 1차 소비자로, 1차 소비자가 늘어나면 1차 소비자의 먹이가 되는 생산자의 수가 줄어들게 됩니다. 반대로 1차 소비자를 먹는 2차 소비자의 수는 늘어납니다. 하지만 오랜 시간이 지나면 소비자가 많아지면서 먹이가 줄어들고 경쟁이 심해져 결국 다시 1차 소비자의 수가 줄어들어 생태계는 평형을 회복하게 됩니다. 8 예 인간의 무분별한 개발로 동물들이 사는 환경이 없어지면서 동물들이 멸종하고 있습니다. 콘크리트의 사용으로 땅이 숨을 쉴 수 없고 식물이 자랄 수 없습니다. 방사능 물질로 인하여 돌연변이가 생겨납니다. 공장과 자동차의 매연 때문에 지구의 온도가 높아지고 높아진 온도로 인하여 빙하가 녹게 되어 지구 환경에 영향을 미칩니다.

1 생태계의 구성원은 서로에게 영향을 주고받으며 살아갑니다. 생태계 구성원 중 어느 한 단계가 무너지면 다른 단계에도 영향을 미치고 결국 모든 생태계가 파괴되게 됩니다.

채점 TIP 분해자가 없어진다면 생태계에서 일어날 현상을 옳게 쓰면 정답으로 합니다.

(내용 플러스)
분해자
죽은 생물의 몸이나 배출물을 분해하며 생태계 안에서 물질의 순환을 가능하게 하는 생물을 분해자라고 합니다. 생물의 사체나 배출물에 들어 있는 유기물을 분해자인 세균이나 곰팡이 같은 생물이 무기물로 분해합니다. 분해자는 주로 땅에서는 흙 속에서, 물속에서는 바닥의 침전물 속에서 생활합니다. 유기물의 분해가 활발하려면 적당한 습기가 있어야 합니다.

2 운석이 지구에 충돌하면 지구 표면의먼지가 대기를 뒤덮게 됩니다. 그러면 태양 에너지가 지구로 들어올 수 없어 일조량이 부족하게 되고, 일조량이 부족하면 식물이 자랄 수 없습니다. 식물이 자라지 못하면 동물도 먹이가 없어져 공룡 역시 굶어 죽을 것입니다.
또 지구 표면의 먼지가 대기를 뒤덮으면 태양 에너지가 지구로 들어오지 못해 지구 전체의 온도가 낮아져 중위도 지역까지 빙하가 있는 빙하기가 되어 식물과 동물들이 자라지 못하고 최상위 포식자인 공룡 역시 멸종했을 것입니다.

채점 TIP 운석 충돌과 관련하여 공룡이 멸종한 까닭을 옳게 쓰면 정답으로 합니다.

3 황소개구리의 수가 급증하면서 이들의 먹이인 곤충, 작은 물고기 등이 서식지에서 크게 줄어들었습니다. 좁은 지역에서 너무 많은 황소개구리가 살다보니 자기들끼리 서식지와 먹이 등으로 경쟁하게 되었습니다. 이 과정에서 약한 개체들은 죽게 되었습니다. 또 새로운 천적인 가물치, 메기, 큰입배스, 파랑볼우럭 등 외래 물고기가 황소개구리의 올챙이를 먹이로 먹기 시작했습니다. 이처럼 자연은 스스로를 보호하기 위하여 자연의 억제력을 발현하기도 합니다.

▲ 가물치

▲ 메기

채점 TIP 황소개구리의 수가 줄어든 까닭을 옳게 쓰면 정답으로 합니다.

4 바나나 나무는 열대 우림에서 자라는데 열대 우림은 비가 많이 오고 온도가 높아 습도가 높기 때문에 바나나 나무는 활발하게 수분을 증발시키기 위해 잎이 넓습니다. 선인장의 줄기는 물을 저장하기 위해 굵고, 잎은 햇빛을 덜 받고 증산 작용이 덜 일어나게 하기 위해서 가시로 되어 있습니다. 증산 작용이 많이 일어나면 수분 손실로 인해 식물이 마르기 때문에 건조한 사막에 사는 선인장은 증산 작용을 억제하는 것입니다.

채점 TIP 바나나의 잎이 넓고, 선인장의 잎 이 뾰족한 까닭을 환경과 관련하여 옳게 쓰면 정답으로 합니다.

5 과거 공기가 깨끗할 때는 나무 기둥이나 줄기를 밝은 색의 지의류가 덮고 있어서 나무에 붙어 쉬고 있는 얼룩 나방이 새의 눈에 잘 띄지 않았습니다. 하지만 석탄에 의한 오염으로 지의류가 죽고 검댕(미세먼지)으로 나무 기둥과 줄기가 검은색으로 변하면서 나무에 붙어 있는 얼룩 나방이 천적의 눈에 잘 띄어 잡아먹히게 되었습니다. 반면 검은색 나방은 새의 눈에 잘 띄지 않아 살아남게 되어 점차 개체수가 늘어난 것입니다.

채점 TIP 석탄 사용으로 나무가 오염되어 나무의 표면이 검은색으로 변하고 나방이 이에 적응한 것이라는 의미로 쓰면 정답으로 합니다.

6 녹조는 생태계의 비생물적 요소에 영향을 미쳐 다른 생물이 살아가지 못하게 합니다. 녹조는 수면을 통해 들어오는 햇빛을 차단하여 일조량을 감소시켜 식물의 광합성에 영향을 미치고 그로 인하여 산소가 부족하게 되어 다른 생물에게도 영향을 미칩니다. 일부 남조류는 독소를 만들어 인간의 건강에 해를 끼치기도 합니다.

채점 TIP 생태계에 미치는 영향을 옳게 쓰면 정답을 합니다.

7 생태계 평형은 안정된 생태계에서 생물의 종류나 수가 거의 변하지 않고 전체적으로 안정된 상태가 유지되는 것을 말합니다. 안정된 생태계는 어떤 요인에 의해 생태계의 평형이 일시적으로 깨지더라도 다시 처음의 상태를 회복하는 조절 능력이 있습니다.

채점 TIP 메뚜기 떼가 출몰하여 생태 피라미드에서 나타나는 변화를 옳게 쓰면 정답으로 합니다.

8 무분별한 개발로 인해 자연이 파괴되고 있습니다. 인류세(人類世)는 인류가 지구 환경에 큰 영향을 미친 시점부터를 별개의 세로 분리한 비공식적인 지질 시대 개념입니다. 정확한 시점은 합의되지 않은 상태이지만 대기의 변화를 기준으로 할 경우 산업 혁명이 그 기준입니다. 인류세를 대표하는 물질들로는 방사능 물질, 대기 중의 이산화 탄소, 플라스틱, 콘크리트 등을 꼽습니다.

채점 TIP 인류의 발전이 생태계 파괴에 미치는 예 세 가지를 옳게 쓰면 정답으로 합니다.

과학 탐구 대회 준비 에세이 ESSAY 53쪽

1 예 풍부한 햇빛의 양, 높은 물의 온도, 물의 정체 현상, 생활 하수 속 질소와 인으로 인한 영양분 등 2 예 조류는 식물성 플랑크톤이기 때문에 동물성 플랑크톤이나 물벼룩의 먹이가 됩니다. 동물성 플랑크톤과 물벼룩을 대량으로 증식시킨 뒤 조류가 많은 곳에 풀어 놓아 먹이 사슬로 조류를 제거할 수 있습니다.

3 예 물이 머무르지 않도록 계속 흐르게 하여 물의 정체 현상을 막아 영양분이 농축되지 않고 물의 온도가 높아지지 않도록 합니다. 강물로 오염 물질이 유입되지 않도록 막아 강물에서 질소, 인을 제거합니다.

1 조류는 식물성 플랑크톤이므로 식물이 잘 자라는 조건에서 잘 증식합니다. 풍부한 햇빛의 양(일사량), 높은 물의 온도(수온), 영양분(생활 하수로 인한 영양분)이 조류가 대량으로 증식하기 위한 원인이 됩니다.

2 조류를 먹이로 하는 생물을 대량으로 키우면 조류를 제거할 수 있습니다.

3 생태계에는 생물적 요소와 비생물적 요소가 있는데 녹조 현상의 원인은 비생물적 요소가 대부분을 차지합니다. 녹조 현상에 영향을 주는 비생물적 요소로는 물의 정체 현상, 강물로 유입되는 오염 물질 등이 있습니다.

과학 탐구 대회 실전 에세이 ESSAY 54~55쪽

예 녹조 현상은 조류가 대량으로 증식하는 현상입니다. 녹조 현상이 일어나면 강 표면을 덮어 햇빛을 차단합니다. 이 현상이 지속되면 햇빛을 차단하여 강 속 식물들이 광합성을 하지 못하고 죽게 됩니다. 식물들이 없어지면 강에 산소를 공급하지 못하게 되어 강에 사는 많은 동물들이 갑자기 죽게 됩니다. 동물들이 죽어서 부패하게 되면 강물에 오염 물질이 증가합니다. 그리고 강은 더 이상 생물이 살지 못하는 환경으로 변하게 됩니다.

녹조 현상은 생물적 방법과 비생물적 방법으로 해결할 수 있습니다.

생물적 방법으로는 먹이 사슬을 이용한 방법이 있습니다. 조류를 먹고 사는 생물(물벼룩, 동물성 플랑크톤)을 대량으로 키워서 녹조가 일어난 곳에 뿌리면 조류를 제거할 수 있습니다. 이 방법을 사용하려면 녹조가 일어나는 시기 이전에 미리 물벼룩과 동물성 플랑크톤을 대량으로 키워 놓아야 합니다.

비생물적 방법은 조류의 생장에 영향을 주는 환경 요소를 제거하거나 변화시키는 것입니다. 조류는 광합성 작용을 하여 살아가는 생물로 광합성을 하지 못하게 막으면 조류가 제대로 살아가지 못해 수가 줄어들 것입니다. 녹조 현상이 많이 일어난 강 위에 그늘막을 쳐서 햇빛을 막아 광합성을 막으면 조류의 번식을 약화시킬 수 있습니다. 또 물이 정체되지 않도록 모터를 이용해 물을 이동시켜 물이 순환하도록 하면 조류가 번식하는 데 방해가 됩니다. 가장 중요한 점은 조류를 구성하는 데 필요한 인, 질소와 같은 물질이 강물에 유입되지 않도록 막는 것입니다.

예 녹조 현상은 조류가 대량으로 증식하는 현상입니다. 녹조 현상이 일어나면 강 표면을 덮어 햇빛을 차단합니다. 이 현상이 지속되면 햇빛을 차단하여 강 속 식물들이 광합성을 하지 못하고 죽게 됩니다. 식물들이 없어지면 강에 산소를 공급하지 못하게 되어 강에 사는 많은 동물들이 갑자기 죽게 됩니다. 동물들이 죽어서 부패하게 되면 강물에 오염 물질이 증가합니다. 그리고 강은 더 이상 생물이 살지 못하는 환경으로 변하게 됩니다.

녹조 현상은 생물적 방법과 비생물적 방법으로 해결할 수 있습니다.

생물적 방법으로는 먹이 사슬을 이용한 방법이 있습니다. 조류를 먹고 사는 생물(물벼룩, 동물성 플랑크톤)을 대량으로 키워서 녹조가 일어난 곳에 뿌리면 조류를 제거할 수 있습니다. 이 방법을 사용하려면 녹조가 일어나는 시기 이전에 미리 물벼룩과 동물성 플랑크톤을 대량으로 키워 놓아야 합니다.

비생물적 방법은 조류의 생장에 영향을 주는 환경 요소를 제거하거나 변화시키는 것입니다. 조류는 광합성 작용을 하여 살아가는 생물로 광합성을 하지 못하게 막으면 조류가 제대로 살아가지 못해 수가 줄어들 것입니다. 녹조 현상이 많이 일어난 강 위에 그늘막을 쳐서 햇빛을 막아 광합성을 막으면 조류의 번식을 약화시킬 수 있습니다. 또 물이 정체되지 않도록 모터를 이용해 물을 이동시켜 물이 순환하도록 하면 조류가 번식하는 데 방해가 됩니다. 가장 중요한 점은 조류를 구성하는 데 필요한 인, 질소와 같은 물질이 강물에 유입되지 않도록 막는 것입니다.

3 날씨와 우리 생활

창의 서술형 문제 영재고·영재원 선발 대비 58~61쪽

1 예 습구 온도계를 감싸고 있는 젖은 헝겊의 물이 수증기가 되면서 에너지를 흡수하여 습구 온도계의 눈금이 낮아지므로 습구 온도가 높다는 것은 공기가 건조하지 않다는 뜻이기 때문입니다. **2** 예 빨래 건조기 내부에서 고온의 공기가 젖은 옷의 습기를 흡수하게 한 뒤 고온 다습해진 공기를 차가운 콘덴서로 보내 공기가 콘덴서를 통과하면서 온도가 낮아져 공기 중 수증기가 물방울로 맺혀 고이게 됩니다. 이때 물방울을 빨래 건조기 밖으로 배출하여 건조기 내부의 습기를 제거합니다. 이렇게 콘덴서를 통과하며 건조해진 공기는 다시 건조기 내부로 들어가 젖은 옷에 있는 습기를 빨아들여 제거합니다.
3 예 물체에 이슬이 맺히려면 수증기가 응결할 수 있도록 물체의 온도가 낮아져야 합니다. 백로는 밤에 기온이 많이 떨어지는 시기이기 때문입니다. **4** 고기압, 예 공기를 불어 넣은 튜브의 내부는 외부보다 공기 알갱이가 더 많기 때문입니다.
5 예 적도에서는 지면과 수면의 온도 차이가 우리나라보다 더 커지고, 극지방에서는 지면과 수면의 온도 차이가 우리나라보다 더 작아집니다. **6** 예 낮에는 산 경사면이 골짜기 아래보다 태양 에너지를 많이 받아 저기압이 형성되기 때문에 산 경사면을 따라 가열된 공기가 산꼭대기 방향으로 상승하여 곡풍이 붑니다. 밤에는 산 경사면이 골짜기 아래보다 더 빨리 냉각되고 고도차로 인해 산꼭대기의 기온이 낮아져 산꼭대기와 산 경사면에 고기압이 형성되기 때문에 경사면을 따라 골짜기 아래로 불어내리는 바람인 산풍이 붑니다. **7** 예 A는 적도에 가까워 온도가 높고 대륙 위라 건조한 공기입니다. B는 적도에 가까워 온도가 높고 바다 위라 습한 공기입니다. C는 극지방에 가까워 온도가 낮고 대륙 위라 건조한 공기입니다. D는 극지방에 가까워 온도가 낮고 바다 위라 습한 공기입니다. **8** ㉢, 예 청개구리는 피부가 민감해서 맑은 날은 피부가 건조해지지 않도록 습기가 많은 물가로 이동하기 때문입니다. 청개구리가 낮은 곳에 있으면 날씨가 맑습니다.

1 습도는 기온에 따라 습하고 건조한 정도를 백분율로 나타낸 것입니다. 습구 온도계와 건구 온도계가 함께 있는 것을 건습구 습도계라고 하며 습도표가 붙어 있기도 합니다. 이것을 이용하면 습도를 쉽게 구할 수 있습니다.

▲ 건습구 습도계

채점 TIP 습도가 증가하는 까닭을 옳게 쓰면 정답으로 합니다.

2 차가운 음료가 담긴 컵 표면의 물방울은 공기 중 수증기가 차가운 물체를 만나 응결해서 생긴 것입니다. 건조기의 부품인 콘덴서는 응축기라고도 부르며 젖은 빨래를 통과한 고온 다습한 공기에서 수분을 빼내어 빨래를 말리는 역할을 합니다.

채점 TIP 습기를 제거하는 방법을 옳게 쓰면 정답으로 합니다.

(내용 플러스)

우리 생활에서 습도를 조절하는 방법
- 겨울철 가습기를 사용하면 습도를 높일 수 있습니다.
- 마른 숯을 실내에 놓아두면 습도를 낮출 수 있습니다.
- 실내에서 키우는 식물은 적절한 습도를 유지하는 데 도움을 줍니다.

3 이슬은 물체의 온도가 내려가면서 공기 중의 수증기가 물체의 표면에 맺히는 물방울을 말합니다. 풀잎이나 물체에 이슬이 맺히는 것은 밤에 기온이 떨어져 수증기가 응결하여 발생하는 현상입니다.

▲ 이슬

채점 TIP 밤에 기온이 많이 떨어지기 때문이라고 쓰면 정답으로 합니다.

4 고기압과 저기압은 절대적인 값이 아니라 주변 공기와 비교하여 정한 것입니다.

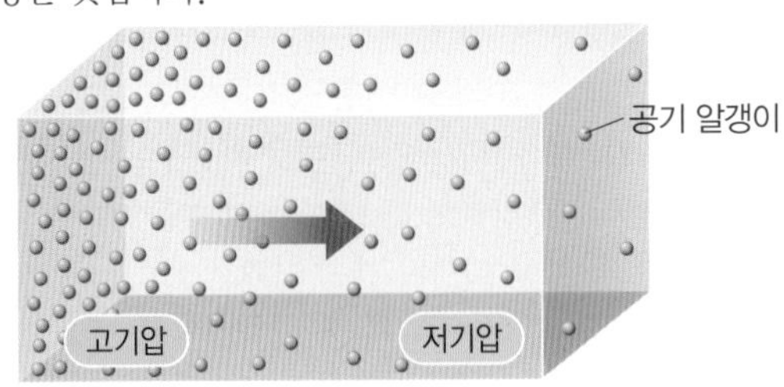

채점 TIP 고기압이라고 쓰고, 까닭을 옳게 쓰면 정답으로 합니다.

5 비열은 어떤 물질 1g의 온도를 1℃ 올리는 데 필요한 열량입니다. 비열은 물질의 고유 특성으로 물은 모래보다 비열이 커서 지면과 수면의 온도 차이가 발생합니다. 적도에서는 우리나라보다 태양의 남중 고도가 높아서 태양 빛이 더 강하게 내리쬐기 때문에 온도 차이가 더 커지고, 극지방에서는 우리나라보다 태양의 남중 고도가 낮아서 태양 빛이 더 약하게 내리쬐기 때문에 온도 차이가 더 작아집니다.

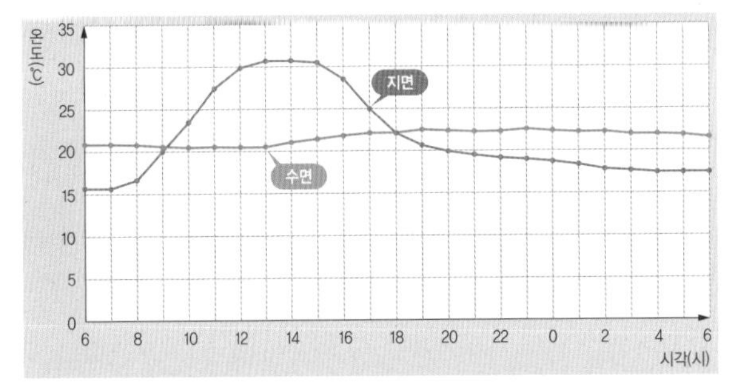

▲ 우리나라에서 지면과 수면의 하루 동안 온도 변화

채점 TIP 지면과 수면의 온도 차이를 우리나라와 비교하여 옳게 쓰면 정답으로 합니다.

6 곡풍은 보통 오전부터 강해져서 정오 부근에 최대가 됩니다. 산풍은 해질 무렵에 발생하며 대기가 차가워지면서 열을 빼앗긴 대기가 주위보다 무거워지면서 낮은 쪽으로 이동하는 것입니다.

채점 TIP 산풍과 곡풍이 부는 원리를 옳게 쓰면 정답으로 합니다.

7 일정한 지역에서 고기압이 형성되면 안정된 상태에서 오래 머무르게 되고, 지표 부근의 성질에 따라 기단이 발달하게 됩니다.

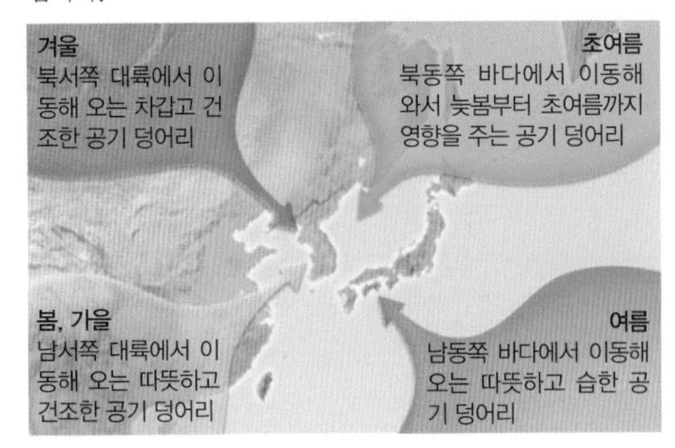

▲ 우리나라의 계절별 날씨에 영향을 미치는 기단

채점 TIP A~D 기단의 온도와 습도를 각각 옳게 쓰면 정답으로 합니다.

8 ㉠ 갓난아이들은 호흡기가 잘 발달하지 않아서 어른들보다 기압의 변화에 민감하여 저기압이 다가오면 투레질을 합니다. 이는 저기압의 영향으로 몸의 압력이 변하여 관절이 아픈 것과 비슷한 신체 변화입니다. 저기압이 되면 날이 흐리고 비가 내립니다. ㉡ 머리카락은 습기에 영향을 받는데, 비 오기 전에 습도가 높아지면 머리카락의 수분 함량이 늘어나 처지거나 헝클어지게 됩니다. ㉣ 날씨가 맑을수록 밤새 지표면 냉각이 심하기 때문에, 대기 중 수증기가 응결하여 이슬로 맺히기 쉬워집니다.

채점 TIP ㉢과 까닭을 옳게 쓰고 속담을 바르게 고쳐 쓰면 정답으로 합니다.

63쪽

예 1. 이상 한파의 발생 원인
2. 이상 한파의 피해를 줄이기 위한 창의적인 대안

과학 토론의 핵심은 대부분 과학적인 원인 분석과 해결 방법으로 구분되어 있습니다. 토론에서 가장 중요한 것은 토론 논제를 정확하게 이해하는 것입니다.

과학 탐구 대회 실전 과학 토론 64~65쪽

주장

예 지구 온난화 때문에 발생한 추위 현상인 이상 한파는 수많은 인명 피해와 경제적 피해를 발생시킵니다. 이러한 이상 한파를 해결하기 위해 생물의 사육 시설의 보온을 위한 보온용 장치, 가정에서 발생하는 열을 이용한 동파 방지기를 제작하는 방법을 제안합니다.

문제 원인 및 피해

예 1. 이상 한파의 발생 원인
- 지구 온난화에 대한 지구의 반작용
- 지구 온난화로 빙하가 녹고, 북극 주변의 온도 상승
- 북극 주위를 순환하는 극 제트 기류의 약화로 북극 주변의 찬공기가 남쪽으로 이동

2. 이상 한파의 피해
- 저체온증으로 인한 동상 및 사망 사고
- 가축과 물고기의 떼죽음
- 고속 도로 폐쇄, 항공기 결항 등 이동 수단 정지

해결 방안

예 1. 양식 생물의 사육 시설의 보온 강화
이상 한파로 양식하는 생물이 얼어 죽는 피해가 있습니다. 바다나 육지에 있는 양식 사육 시설을 깊은 바다 또는 깊은 땅속으로 이동시키면 한파의 피해를 줄일 수 있을 것입니다. 주변 온도에 따라 위아래로 이동할 수 있는 사육 시설을 설치하여 한파가 발생하면 사육 시설이 한파의 영향이 적은 깊은 바다 또는 깊은 땅속으로 이동하는 방법입니다.

2. 동파 방지기
계량기를 스타이로폼이나 신문지로 감싸 보온을 해 주는 것은 근본적인 대책이 되지 못합니다. 계량기에서 외부로 빠져나가는 열기를 막아 주기만 할 뿐 열을 제공하지 않기 때문입니다. 수도관이 얼어서 터지는 것을 막기 위해 액체를 얼지 않게 해 주는 부동액을 집에서부터 계량기까지 순환하도록 만들어 주면 집 안의 열기를 부동액이 흡수하여 계량기로 전달하여 동파가 일어나지 않을 것입니다. 계량기까지 이동한 부동액은 열을 잃고 다시 집으로 이동하여 집 안의 열기를 흡수하여 다시 계량기로 가는 순환을 하며 수도관이 얼지 않도록 해 주는 방법입니다.

- 주장은 어떤 방법으로 문제를 해결할 수 있을지에 대한 생각을 쓰는 곳으로 해결 방안까지 작성한 다음 가장 마지막에 작성하면 잘 쓸 수 있습니다.
- 토론 개요서는 최소 세 장 정도의 분량으로 작성해야 합니다. 토론 개요서는 개조식으로 작성하여도 좋습니다. 개조식은 글을 쓸 때 글 앞에 번호를 붙여 가며 중요한 요점이나 단어를 나열하는 방식입니다.

4 물체의 운동

창의 서술형 문제 영재고·영재원 선발 대비 68~71쪽

1 민수, 예 같은 시간 동안 민수가 더 먼 거리를 가는 빠르기이기 때문입니다. **2** 예 박쥐는 어두운 곳에서도 초음파를 쏘고 반사되어 되돌아오는 초음파를 감지함으로써 걸린 시간을 통해 장애물까지의 거리를 알 수 있기 때문입니다. **3** 예 헨젤의 운동은 빠르기가 점점 빨라지는 운동입니다. 시간이 지날수록 조약돌의 간격이 점점 멀어졌기 때문입니다. 그레텔의 운동은 빠르기 일정한 운동입니다. 조약돌의 간격이 일정하기 때문입니다. **4** 예 센서 1에서 센서 2까지의 거리를 알고 있기 때문에 자동차가 센서 1과 센서 2를 통과하는 시간을 측정하면 이동 거리를 걸린 시간으로 나누어 자동차의 빠르기를 측정할 수 있습니다. **5** 북극, 예 북극에서가 적도에서보다 중력의 크기가 더 커서 북극에서 시계추의 움직임이 더 빨라지기 때문입니다. **6** 자전거, 퀵보드, 달리기, 예 같은 시간 동안 더 먼 거리를 이동한 것이 빠르기가 더 빠르기 때문입니다. **7** C, 예 해수면에서 초음파를 쏘았을 때 가장 빨리 되돌아오는 위치이기 때문입니다. **8** ㉠, 예 ㉠이 같은 시간 동안 가장 먼 거리를 이동하기 때문입니다.

1 이동 거리와 걸린 시간이 다를 때는 기준을 정하여 하나의 기준을 같게 만들어 주고 다른 변수를 비교합니다. 민수가 서점에서 학교(A)까지 가는 거리는 10+10+10=30(km)입니다. 영주가 서점에서 도서관(B)까지 가는 거리는 10+15+15=40(km)입니다. 민수는 10초 동안 30km를 갔지만 영주는 15초 동안 40km를 갔습니다. 민수가 10초 동안 30km를 이동하므로 15초면 45km를 이동하는 빠르기입니다. 따라서 민수가 같은 시간 동안 영주보다 더 먼 거리를 이동하기 때문에 더 빠릅니다.

채점 TIP 민수를 쓰고, 까닭을 옳게 쓰면 정답으로 합니다.

2 박쥐는 초음파를 이용하여 거리를 파악합니다. 초음파를 쏘았을 때 앞에 장애물이 있으면 초음파는 장애물에 반사되어 되돌아옵니다. 이때 되돌아오는 시간이 짧으면 장애물이 가까이 있는 것이고 되돌아오는 시간이 길면 장애물이 멀리 있는 것입니다. 이렇게 박쥐는 초음파를 쏘고 되돌아오는 시간차를 판별하여 장애물까지의 거리를 파악할 수 있기 때문에 어두운 곳에서도 잘 이동할 수 있습니다.

채점 TIP 초음파를 쏘아 되돌아오는 시간을 측정하여 장애물까지의 거리를 측정하기 때문이라는 내용을 쓰면 정답으로 합니다.

3 일정한 시간 간격으로 놓은 조약돌과 조약돌 사이의 거리를 비교하면 빠르기의 변화를 알 수 있습니다. 일정한 간격으

로 조약돌을 놓았다는 것은 빠르기가 일정하다는 의미입니다. 조약돌 사이의 간격이 멀어진다는 것은 같은 시간 동안 더 먼 거리를 간 것이기 때문에 빠르기가 빨라진 것입니다. 반대로 같은 시간 동안 이동한 거리가 짧아지는 것은 빠르기가 느려진다는 의미입니다. 또 일정한 시간 간격으로 물체의 운동을 점으로 기록했을 때 점 사이의 간격이 멀수록 빠른 것입니다. A와 B는 각각 빠르기가 일정한 운동을 하였고 A가 B보다 빠릅니다.

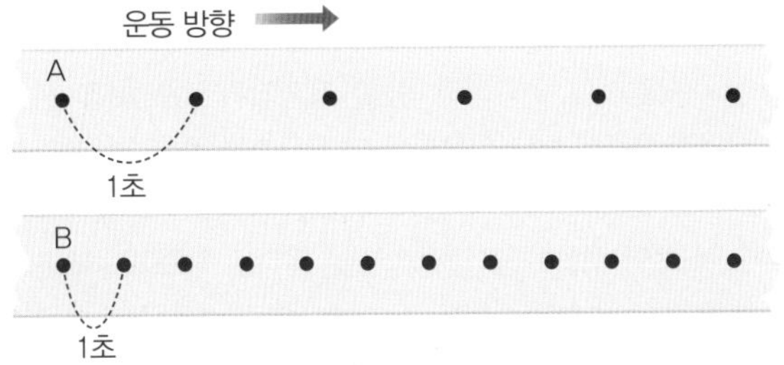

채점 TIP 헨젤의 운동은 빠르기가 변하는 운동이고 그레텔의 운동은 빠르기가 일정한 운동이라고 쓰고, 각각 까닭을 옳게 쓰면 정답으로 합니다.

4 고정식 과속 단속 카메라의 경우 카메라 자체에 자동차의 빠르기를 측정하는 장치가 있지 않고, 카메라가 설치된 곳보다 앞쪽 도로에서 자동차의 빠르기를 측정합니다. 카메라 앞의 도로 바닥에 센서 1과 센서 2가 깔려 있습니다. 자동차가 센서 1을 통과한 후 센서 2를 통과하기까지 시간을 측정하면 자동차의 빠르기를 측정할 수 있습니다.

채점 TIP 자동차의 빠르기를 측정하는 방법을 옳게 쓰면 정답으로 합니다.

5 시계추는 중력의 크기가 커지면 더 빠르게 움직이고, 중력의 크기가 작아지면 더 느리게 움직입니다. 북극에서가 적도에서보다 중력의 크기가 더 크기 때문에 시계추는 더 빠르게 움직이고, 시계의 시간이 더 빨라집니다.

채점 TIP 북극을 쓰고, 까닭을 옳게 쓰면 정답으로 합니다.

6 그래프는 시간에 따른 이동 거리를 나타낸 것입니다. 빠르기를 비교할 시간을 정하고 같은 시간 동안에 이동한 거리를 비교합니다. 시간과 이동 거리의 관계 그래프에서 기울기는 빠르기를 나타내기 때문에 빠르기가 빠를수록 기울기가 가파르게 됩니다. 따라서 같은 시간 동안 얼마나 멀리 간 것인지를 비교하면 자전거가 가장 멀리 이동하였고, 퀵보드, 달리기 순으로 이동 거리가 깁니다.

채점 TIP 자전거, 퀵보드, 달리기를 순서대로 쓰고, 까닭을 옳게 쓰면 정답으로 합니다.

7 해수면에서 바다 밑으로 초음파를 쏘았을 때 해수면과 바다 밑 땅이 가까이 있을수록 초음파가 되돌아오는 시간이 짧고, 해수면과 바다 밑 땅이 멀리 있을수록 초음파가 되돌아오는 시간이 깁니다. 그래프에서 되돌아오는 시간이 가장 짧은 곳이 C 지점이고 되돌아오는 시간이 가장 긴 곳이 B 지점이기 때문에 반대로 지형은 B 지점이 가장 낮고 C 지점이 가장 높습니다. D와 E 지점은 깊이가 같은 지형입니다.

채점 TIP C를 쓰고, 까닭을 옳게 쓰면 정답으로 합니다.

8 회전목마가 한 바퀴 도는 데 걸리는 시간은 같습니다. 원 둘레는 반지름에 비례하기 때문에 원의 중심에서 멀어질수록 원 둘레가 커집니다. 따라서 ㉠, ㉡, ㉢을 비교해 보면 ㉠의 원 둘레가 가장 크기 때문에 가장 먼 거리를 이동하며 가장 빠르게 움직입니다.

채점 TIP ㉠을 쓰고, 까닭을 옳게 쓰면 정답으로 합니다.

과학 탐구 대회 준비 탐구 보고서 72~73쪽

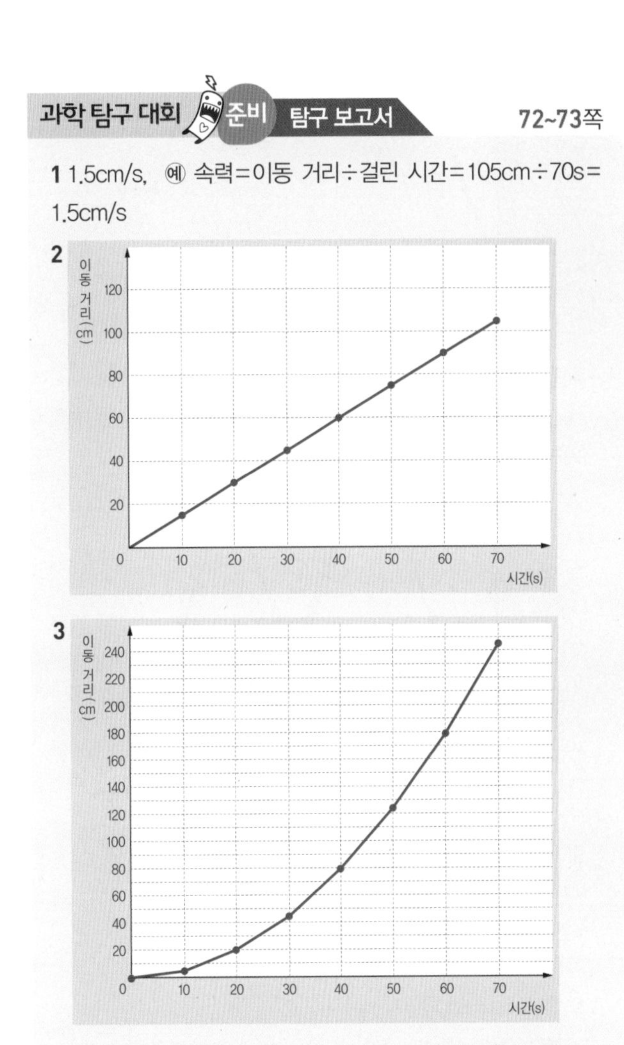

1 속력은 이동 거리를 걸린 시간으로 나눈 값입니다.

2 물체의 시간에 따른 이동 거리 그래프를 그리면 속력이 일정한 물체의 그래프는 일직선으로 나타납니다.

3 그래프를 그릴 때는 가로축과 세로축이 의미하는 것을 정확히 표현해야 합니다. 시간에 따른 이동 거리 그래프이니 가로축에는 시간을 두고, 세로축에는 이동 거리를 표현합니다.

4 시간에 따른 이동 거리 그래프에서 한 점의 기울기는 그 순간의 속력으로 속력이 일정한 운동과 속력이 증가하는 운동에서 다르게 나타납니다.

과학 탐구 대회 실전 탐구 보고서 75쪽

• **시간에 따른 속력 그래프**

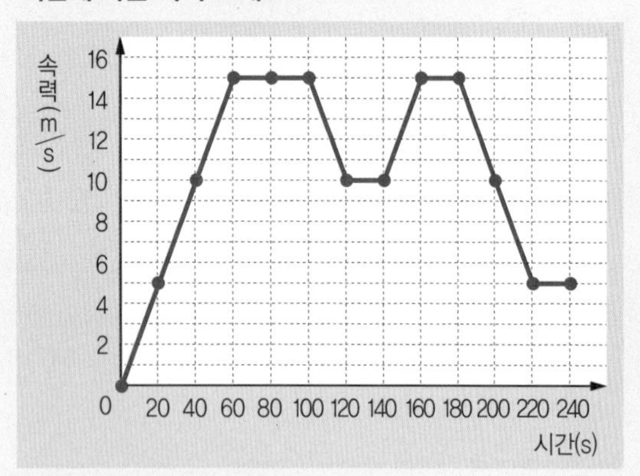

• **시간에 따른 그래프 해석**

예 그래프 아래의 넓이를 계산하여 모두 더하면 전체 이동 거리를 구할 수 있습니다.

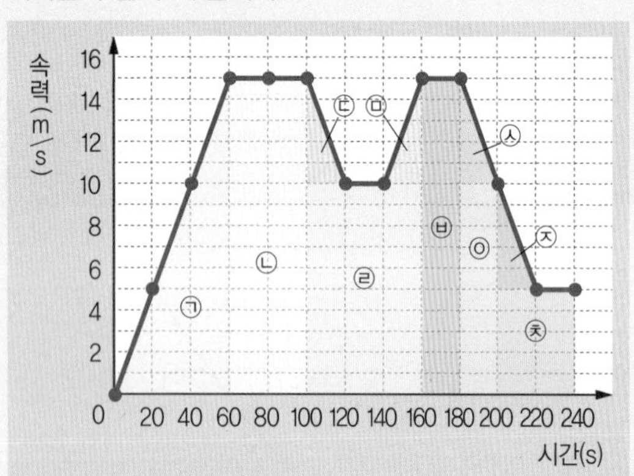

㉠ 60×15÷2=450(cm)
㉡ 40×15=600(m)
㉢ 20×(15−10)÷2=50(m)
㉣ 60×10=600(m)
㉤ 20×(15−10)÷2=50(m)
㉥ 20×15=300(m)
㉦ 20×(15−10)÷2=50(m)
㉧ 20×10=200(m)
㉨ 20×(10−5)÷2=50(m)
㉩ 40×5=200(m)

모두 더하면 450+600+50+600+50+300+50+200+50+200=2,550(m)이므로 롤러코스터의 전체 이동 거리는 2,550m입니다.

5 산과 염기

창의 서술형 문제 영재고·영재원 선발 대비 78~81쪽

1 예 오줌에 들어 있는 암모니아 성분이 염기성이기 때문에 산성인 해파리 독을 약화시키려고 오줌을 사용한 것입니다. 산성을 약화시키기 위해 무조건 염기성 용액을 사용하는 것은 위험할 수 있습니다. 해파리의 독침이 제거되지 않은 상태에서 상처 부위에 오줌이 닿으면 독침을 더 자극해서 독이 더 나올 수 있기 때문입니다. **2** 식초, 예 투명한 용액은 식초와 석회수이고, 식초와 석회수 중 냄새가 있는 용액은 식초이기 때문에 두 번째 질문에서 답을 찾을 수 있습니다. **3** 예 푸른색 리트머스 종이로 만든 꽃 부분에 묽은 염산과 같은 산성 용액을 바르고, 붉은색 리트머스 종이로 만든 줄기 부분에 묽은 수산화 나트륨 용액과 같은 염기성 용액을 바릅니다. **4** 예 이온 음료는 산성입니다. 즉 '알칼리'라는 이름과 실제 성질이 반대입니다. **5** 예 식초는 산성 용액이므로 달걀 겉껍데기를 녹이지만, 달걀 속껍질과 흰자 부분은 단백질이므로 산성 용액에 녹지 않기 때문입니다. **6** 예 태양의 붉은색은 묽은 염산, 레몬즙을 이용해 나타냅니다. 바다의 파란색은 유리 세정제를 이용해 나타냅니다. 숲의 노란색은 묽은 수산화 나트륨 용액을 이용해 나타냅니다. 자주색 양배추 지시약은 강한 산성 물질과 만나면 붉은색을 나타내고, 약한 염기성 물질을 만나면 파란색을 나타내고, 묽은 수산화 나트륨 용액을 만나면 노란색을 나타내기 때문입니다. **7** 예 콘크리트로 만들어진 지붕에 빗물이 흘러서 떨어지게 되는데, 콘크리트에 빗물의 산성 물질(산성비)이 닿아 콘크리트의 석회석 성분인 탄산 칼슘이 녹아내리기 때문입니다. **8** 예 샴푸의 산성이 직접 머리카락을 빠지게 하거나 피부에 나쁜 영향을 줄 정도로 강하지 않기 때문입니다. 산성비가 매우 강한 산성이 아니기 때문에 산성비를 맞아도 산성 때문에 머리가 빠지지는 않습니다.

1 해파리에 쏘였을 때는 독침인 가시를 제거해야 합니다. 또 지속적으로 상처 부위를 씻어 주면 독소 확산을 줄일 수 있습니다. 해파리 독이 염기성일 경우 식초나 소독용 알코올을 사용해야 한다는 의견도 있으나 오줌과 마찬가지로 어떤 물질이 상처 부위에 들어가 몸속 환경이 바뀌면 독침에서 더 많은 독이 나올 수도 있기 때문에 주의해야 합니다.

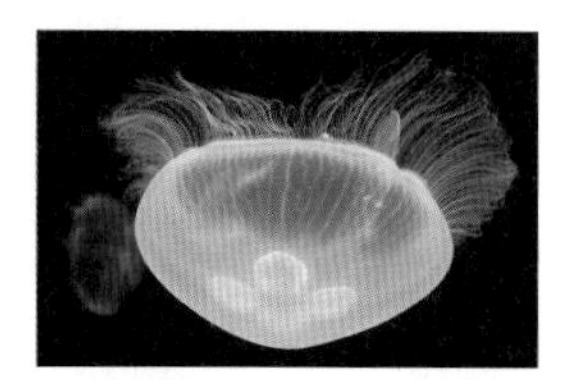
▲ 해파리

채점 TIP 산성인 독을 염기성으로 약화시키기 위해서라는 의미로 쓰고, 올바른 행동이 아니라고 쓰면 정답으로 합니다.

2 투명한 용액은 식초, 석회수입니다. 냄새가 있는 용액은 식초, 레몬즙, 빨랫비누 물입니다. 색깔이 있는 용액은 식초, 레몬즙, 빨랫비누 물입니다. 먹을 수 있는 용액은 식초, 레몬즙입니다. 푸른색 리트머스 종이를 붉은색으로 변하게 하는 용액은 식초, 레몬즙입니다. 이 모든 조건을 만족하는 용액은 식초입니다.

▲ 식초 ▲ 레몬즙 ▲ 석회수 ▲ 빨랫비누 물

채점 TIP 식초를 쓰고, 스무고개의 답을 찾을 수 있는 질문과 그 까닭을 옳게 쓰면 정답으로 합니다.

(내용 플러스)

- 식초, 레몬즙과 같이 푸른색 리트머스 종이를 붉은색으로 변하게 하고, 페놀프탈레인 용액의 색깔을 변하지 않게 하는 용액을 산성 용액이라고 합니다.
- 석회수, 빨랫비누 물과 같이 붉은색 리트머스 종이를 푸른색으로 변하게 하고, 페놀프탈레인 용액을 붉은색으로 변하게 하는 용액을 염기성 용액이라고 합니다.

3 푸른색 리트머스 종이에 산성 용액이 닿으면 붉은색으로 변하고, 붉은색 리트머스 종이에 염기성 용액이 닿으면 푸른색으로 변하는 성질이 있습니다. 이를 이용하여 꽃을 다시 만들지 않고 꽃과 줄기의 색을 바꿀 수 있습니다.

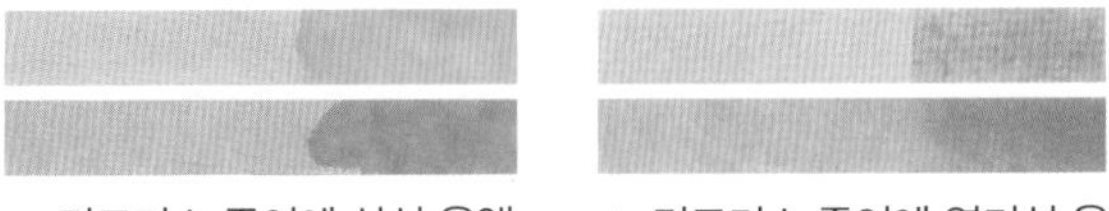
▲ 리트머스 종이에 산성 용액이 닿았을때 ▲ 리트머스 종이에 염기성 용액이 닿았을때

채점 TIP 산성과 염기성을 이용하는 방법을 옳게 쓰면 정답으로 합니다.

4 땀을 많이 흘리고 물을 많이 마셔도 갈증이 가시지 않는 것은 우리 몸에 나트륨 이온이 부족하기 때문입니다. 몸 안에서 나트륨 이온을 만드는 알칼리성 이온 음료에는 소금물, 산성 과즙, 구연산 등이 들어 있습니다. 따라서 산성을 띠며 푸른색 리트머스 종이를 붉은색으로 변하게 합니다. 그러나 알칼리성 이온 음료라고 하는 까닭은 음료에 들어 있는 성분들이 몸 안에서 알칼리성 물질을 만들기 때문입니다. 식품 자체가 산성이냐 알칼리성이냐는 중요하지 않습니다. 사람이 먹었을 때 몸 안에서 생기는 물질의 성질은 다를 수 있기 때문입니다. 예를 들어 귤은 시트르산이 있어 신맛이 나고 산성이지만 몸 안에서는 알칼리성인 탄산 칼륨을 남겨 알칼리성 식품이라고 합니다.

채점 TIP 산성이라는 것을 알 수 있다는 의미로 쓰면 정답으로 합니다.

5 식초의 성분인 아세트산은 약한 산성이고 달걀 겉껍데기의 주성분은 탄산 칼슘이므로 서로 만나면 달걀 겉껍데기에서 기포가 발생하면서 천천히 녹습니다. 이때 발생하는 기체는 이산화 탄소입니다. 식초에 의해 달걀의 겉껍데기가 제거되면 달걀 겉껍데기 안쪽에 붙어 있던 속껍질이 남아 달걀의 내용물을 싸고 있는데, 만져 보면 촉감이 매우 부드러우면서도 질깁니다. 이 부분은 단백질이기 때문에 산성 물질에 녹지 않고, 이 부분은 묽은 수산화 나트륨 용액과 같은 염기성 용액에 녹습니다.

채점 TIP 식초는 산성 용액이므로 달걀 겉껍데기를 녹이고, 단백질을 녹이지 않기 때문이라는 의미로 쓰면 정답으로 합니다.

(내용 플러스)

- 산성 용액은 탄산 칼슘이 주성분인 달걀 겉껍데기와 대리석 조각을 녹이지만 단백질이 주성분인 삶은 달걀 흰자와 두부는 녹이지 못합니다.
- 염기성 용액은 단백질이 주성분인 삶은 달걀 흰자와 두부를 녹이지만, 탄산 칼슘이 주성분인 달걀 겉껍데기와 대리석 조각은 녹이지 못합니다.

6 안토시아닌은 꽃과 열매의 색깔을 좌우하는 물질로 보통 보라색을 띠고 있습니다. 자주색 양배추에는 안토시아닌이 많이 들어 있으므로 물에 끓이거나 갈아서 즙을 내면 보라색 안토시아닌 용액을 만들 수 있습니다. 안토시아닌은 산성에서는 붉은색으로, 염기성에서는 푸른색이나 초록색으로 변하므로 산성과 염기성에 따라 다양한 색깔을 냅니다. 이러한 성질을 이용하여 자주색 양배추로 지시약을 만들어 사용할 수 있습니다.

산성이 강함. 염기성이 강함.

▲ 자주색 양배추 지시약의 색깔 변화표

채점 TIP 색깔에 맞는 용액을 쓰고, 까닭을 옳게 쓰면 정답으로 합니다.

7 콘크리트 고드름은 석회 동굴에서 종유석이 자라는 현상과 비슷한 현상이며 차이가 있다면 종유석은 지하에, 콘크리트 고드름은 지상에 생긴다는 것입니다.
콘크리트는 염기성이지만 산성비를 계속 맞으면 중성에 가까워지면서 녹습니다. 고가 도로의 콘크리트 바닥을 아래에서 살펴보면 수염과 같이 길게 자라 있는 콘크리트 고드름을 볼 수 있는데, 콘크리트의 주성분은 탄산 칼슘입니다.

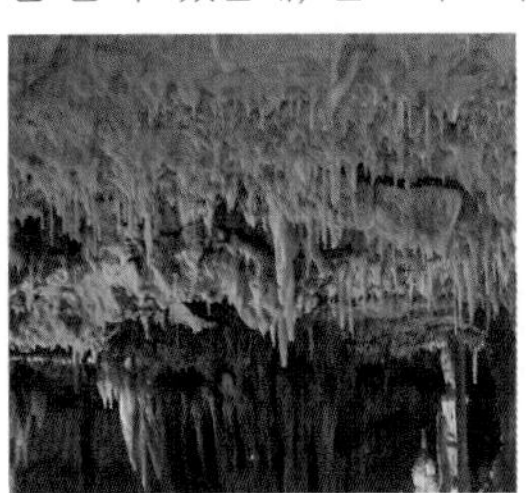
▲ 종유석

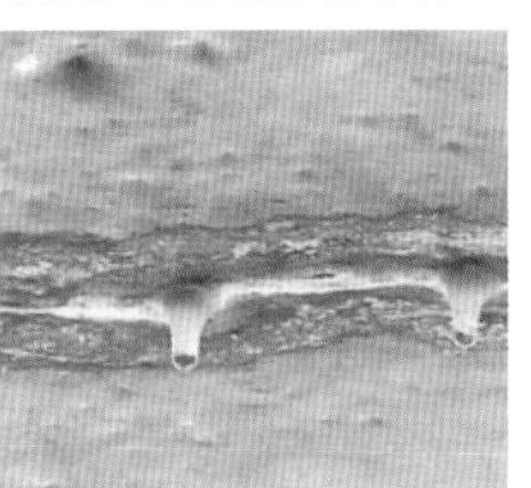
▲ 콘크리트 고드름

2권 2학기

채점 TIP 콘크리트 고드름이 만들어진 까닭을 옳게 쓰면 정답으로 합니다.

8 산성비를 맞으면 산성 물질 때문에 머리카락이 빠진다는 이야기는 잘못된 사실입니다. 오히려 빗물에 섞인 다른 대기 오염 물질이 피부에 해로울 수 있습니다. 과거에는 세정력이 좋은 염기성 샴푸가 많이 있었지만 머리카락의 성분이 약한 산성이고 비누로 머리를 계속 감으면 머릿결이 푸석푸석해지는 것처럼 염기성 샴푸로 인한 머리카락 손상이 발생하여 샴푸를 약한 산성으로 만들기 시작했습니다.

채점 TIP 산성 샴푸의 산성이 강하지 않기 때문이라고 쓰고, 산성비의 산성 물질 때문에 머리카락이 빠지는 것은 아니라는 의미로 쓰면 정답으로 합니다.

과학 탐구 대회 준비 과학 토론 83쪽

1 예 도로에 쌓인 눈을 녹입니다. 도로 자체를 녹여 구멍을 만들기도 합니다. **2** 예 1. 제설제의 단점 서술 2. 환경에 피해를 주지 않고 눈을 제거하는 창의적인 대안 서술

2 토론 논제를 구체적으로 살펴보아야 문제를 해결할 수 있습니다. 대부분의 토론 논제는 두 가지로 구성되어 있습니다.

과학 탐구 대회 실전 탐구 보고서 84~85쪽

주장

예 염화 칼슘은 제설제로 사용하기에 효과적인 물질이지만 차를 부식시키고, 도로에 손상을 입힙니다. 또 식물에 나쁜 영향을 주고 흙을 염기성으로 만들어 땅이 메마르게 됩니다. 환경에 피해를 주지 않고 눈을 녹이는 방법으로 나무 부스러기와 낙엽을 이용한 눈 제거, 태양광을 이용한 열선 도로, 눈 가림막 설치를 제안합니다.

문제 원인

예 1. 염화 칼슘의 기능
- 주변의 물 흡수
- 물에 녹는 성질
- 제설제로 가장 효과적인 물질

2. 염화 칼슘의 단점

1) 차량 부식
- 염화 칼슘은 달라붙는 성질이 있어서 자동차 자체에 달라붙음.
- 차량에 녹을 발생시킴.
- 철판을 축축하게 만듦.

2) 도로 손상
- 아스팔트의 결합력을 떨어뜨림.
- 도로에 구멍을 발생시켜 교통 사고의 위험이 있음.

3) 식물의 성장 방해
- 염화 칼슘의 염소가 생장 억제
- 토양을 염기성으로 바꾸어 필수 양분의 흡수 능력 감소

해결 방안

예 1. 나무 부스러기와 낙엽을 이용한 눈 제거

겨울이 시작되기 전 산에 쌓여 있는 나무 부스러기와 낙엽을 모아 저장해 두었다가 눈이 내리면 나무 부스러기와 낙엽을 갈아 도로에 쌓인 눈 위에 뿌리는 방법입니다. 그러면 나무 부스러기와 낙엽의 보온 효과로 눈을 녹일 수 있습니다. 동시에 나무 부스러기와 낙엽이 친환경 미끄럼 방지제 역할을 합니다. 나무 부스러기와 낙엽은 눈이 녹은 이후에도 퇴비가 되어 식물 성장에 도움을 줍니다.

2. 태양광을 이용한 열선 도로

눈이 내렸을 때 사고가 많이 나는 도로를 중심으로 도로 주변에 태양광 전지를 설치하고 도로에 열선을 깔아 태양광 전지와 열선을 연결하여 눈이 내리면 열선이 도로의 온도를 높여 눈을 녹이는 방법입니다. 이때 사용하는 태양광 전지는 친환경 에너지입니다.

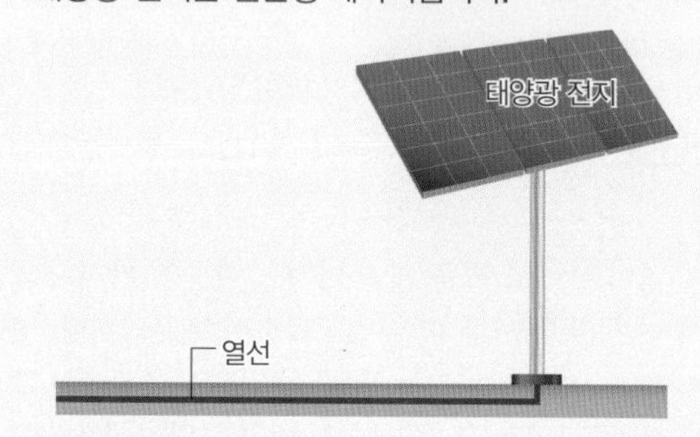

3. 눈 가림막 설치

눈이 잘 녹지 않는 곳에 눈 가림막과 방음벽 역할을 동시에 할 수 있는 구조물을 설치하여 눈이 도로로 내려와 쌓이지 않도록 막는 방법입니다.

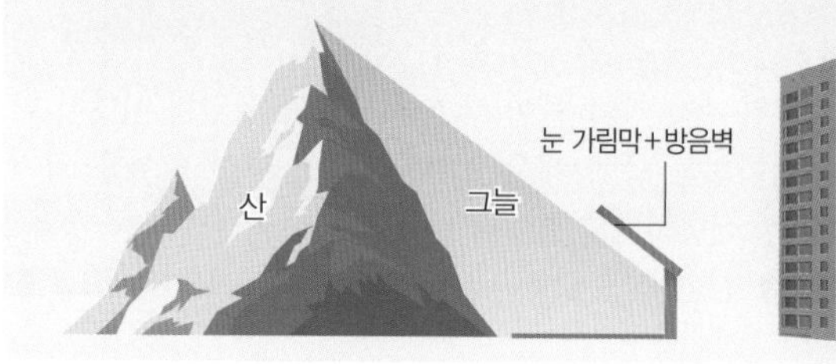

Where there is a will,
there is a way.

Where there is a will,
there is a way.